저자

김기훈　現 ㈜ 쎄듀 대표이사
　　　　現 메가스터디 영어영역 대표강사
　　　　前 서울특별시 교육청 외국어 교육정책자문위원회 위원

저서　천일문 / 천일문 Training Book / 초등코치 천일문
　　　천일문 GRAMMAR / 첫단추 BASIC / 쎄듀 본영어
　　　어휘끝 / 어법끝 / 거침없이 Writing / 쓰작 / 리딩 플랫폼
　　　리딩 릴레이 / Grammar Q / Reading Q / Listening Q 등

쎄듀 영어교육연구센터
쎄듀 영어교육센터는 영어 콘텐츠에 대한 전문지식과 경험을 바탕으로
최고의 교육 콘텐츠를 만들고자 최선의 노력을 다하는 전문가 집단입니다.

인지영 책임연구원

원고에 도움을 주신 분 한정은

마케팅　　　콘텐츠 마케팅 사업본부
영업　　　　문병구
제작　　　　정승호
인디자인 편집　올댓에디팅
디자인　　　윤혜영
영문교열　　Stephen Daniel White

Start
1

What's
Grammar

왓츠 Grammar Curriculum 시리즈 구성

〈**왓츠 Grammar**〉 시리즈는 학습 단계에 따라 총 6권으로 구성되어 있습니다.
학습자의 인지 수준에 맞게 문법 설명을 세분화하였고, 단계적으로 학습할 수 있도록 설계하였습니다.

Start 1~3권은 초등 영문법을 처음 시작하는 학생들을 위해 개발되었으며,
초등 교과 과정의 필수 기초 문법을 담고 있습니다.
Plus 1~3권은 **초등 교과 과정의** 필수 기초 문법 및 심화 문법을 담고 있습니다.

Start와 Plus 모두 1권에서 배운 내용이 2권, 3권에도 반복 등장하여 <u>누적 학습이 가능</u>하도록 했습니다.

*하단 표에서 각 권에 새로 등장하는 개념에는 색으로 표시하였습니다.

Start 1-3

☑ 교육부 지정 초등 필수 문법 3~4학년 대상 (영어 교과서 기준)
☑ 초등 영어 문법을 처음 시작할 때

	Start 1		Start 2		Start 3
1	명사	1	명사와 관사	1	대명사
2	대명사	2	대명사와 be동사	2	be동사와 일반동사
3	be동사	3	일반동사	3	현재진행형
4	be동사의 부정문과 의문문	4	의문사 의문문	4	숫자 표현과 비인칭 주어 it
5	지시대명사	5	조동사 can	5	의문사 의문문
6	일반동사	6	현재진행형	6	형용사와 부사
7	일반동사의 부정문과 의문문	7	명령문과 제안문	7	전치사

Plus 1-3

☑ 교육부 지정 초등 필수 문법 5~6학년 대상 (영어 교과서 기준)
☑ 3~4학년 문법 사항 복습 및 초등 필수 영문법 전 과정을 학습하고자 할 때

	Plus1		Plus 2		Plus 3
1	명사와 관사	1	현재진행형	1	품사
2	대명사	2	미래시제	2	시제
3	be동사	3	과거시제	3	조동사
4	일반동사	4	조동사 can, may	4	to부정사와 동명사
5	형용사	5	의문사	5	비교급과 최상급
6	부사	6	여러 가지 문장	6	접속사
7	전치사	7	문장 형식		

초등 시기, 영문법 학습 왜 중요할까요?

초등, 중등, 고등을 거치면서 배워야 할 문법 사항은 계속 늘어납니다.
같은 문법 사항이더라도 중등, 고등으로 갈수록 개념이 확장되며,
점점 복잡한 문장이나 문맥 속에서 파악해야 하는 문제들이 출제됩니다.

초등에서 배운 문법 사항이 중등, 고등에서도 계속 누적되어 나오기 때문에
이 시기에 기초를 탄탄하게 잘 쌓지 못하면 빈틈이 생기기 쉽습니다.

〈왓츠 Grammar〉는 이러한 빈틈이 절대 생기지 않도록,
초등 교과 과정에서 반드시 배워야 하는 문법 사항을
누적·반복 학습이 가능한 나선형 커리큘럼으로 구성하였습니다.
또한, 갑자기 어려워지는 문제나 많은 문법 사항이 한꺼번에 나오지 않도록 **세심하게 난이도를 조정**하였습니다.

〈왓츠 Grammar〉는 처음 영어 문법을 배우는 아이들에게 자신감을 키워 줄 가장 좋은 선택이 될 것입니다.

지시대명사의 초등 ▸ 중등 ▸ 고등 차이 살펴보기

초등 What's **this**? 이것은 무엇이니? / **This** is my friend. 얘는 내 친구예요.

> 지시대명사 자체의 의미,
> 문장에서의 쓰임을
> 간결하게 다룹니다.

중등

[내신 기출] 다음 대화의 밑줄 친 부분 중 어법상 틀린 것은?

A: My favorite subject is math.

B: Really? I ① <u>don't like</u> math. It is difficult for me.

A: **That** ② **are(→ is)** not a problem. I can help you.

B: Thank you. You ③ <u>get</u> good grades in all subjects. Right?

[풀이] That은 '하나'를 가리키므로 뒤에 be동사 is가 와야 합니다.

> 여러 문법 항목들이
> 뒤섞인 문맥 안에서
> 지시대명사가 주어일 때
> 연결되는 동사까지 함께
> 파악할 수 있어야 합니다.

고등

[내신 기출] 잘못된 부분을 찾아 앞뒤 문맥에 맞게 고쳐 쓰시오.

People were always running up and down the stairs, and the television was left on all day. None of **this(→ these)** seemed to bother Kate's parents, they wandered around the house chatting with their kids and greeting their visitors.

[풀이] 여기서 지시대명사는 앞에 나온 내용 전체를 가리키고 있는데, '사람들이 계단을 오르락내리락 하는 것', '텔레비전이 하루 종일 켜져 있는 것' 두 가지를 가리키므로 '여럿'을 가리키는 these로 고쳐야 합니다.

> 지시대명사가
> '사람, 사물'뿐만 아니라
> 문장 전체를 가리킬 수
> 있다는 확장된 문법
> 개념을 알아야 합니다.

Components 구성과 특징

Step 1 문법 개념 파악하기

- 한눈에 들어오는 표와 친절하고 자세한 설명을 통해 초등 필수 문법 개념을 쉽게 이해할 수 있어요.

- 문법을 처음 접하는 친구들도 충분히 이해할 수 있도록, 문법 항목을 한 번에 하나씩 공부해요.

Tip! 말풍선과 체크 부분을 놓치지 마세요.
헷갈리기 쉽거나 주의해야 할 내용을 담고 있어요.

Step 2 개념 적용하여 문제 풀기

- 다양한 유형의 문제를 풀면서 문법의 기본 개념을 잘 이해했는지 확인해볼 수 있어요.

- 갑자기 어려운 문제가 등장하지 않도록, 세심하게 난이도를 조정했어요. 차근차근 풀어나가기만 하면 돼요.

Tip! 틀린 문제는 꼭 꼼꼼히 확인하세요.
친절하고 자세한 해설이 도와줄 거예요.

Step 3 문장에 적용 및 쓰기로 완성하기

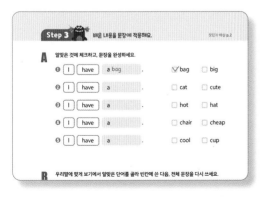

- 배운 문법을 문장에 적용하고 직접 써보세요. 문장 전체를 쓰는 연습을 통해 영어 문장 구조를 자연스럽게 학습할 수 있어요. 문법은 물론 서술형 문제도 이제 어렵지 않아요!

Tip! 어순에 유의하며 써보세요.
주어진 단어를 배열하여 문장을 완성하다보면
영어 문장에 대한 감을 익힐 수 있을 거예요.

Step ④ 3단계 누적 연습문제로 완벽하게 복습하기

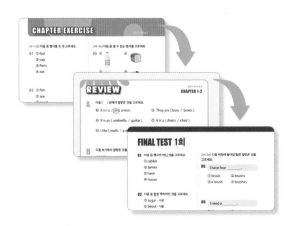

● 챕터별 연습문제 → 두 챕터씩 묶은 누적 REVIEW
→ FINAL TEST 2회분

3단계에 걸친 문제 풀이로 완벽하게 복습해요.

Tip! FINAL TEST 마지막 페이지에 있는 표를 활용해보세요.
틀린 문제가 어느 챕터에 해당하는지 확인하고,
나의 약점을 보완할 수 있어요.

틀린 문제가 어느 챕터에 해당하는지 확인하고, 복습해보세요.

1	2	3	4	5
Ch1	Ch1	Ch1	Ch1	Ch1
11	12	13	14	15
Ch2	Ch2	Ch2	Ch2	Ch3, Ch4, Ch6
21	22	23	24	25

Step ⑤ 워크북 + 단어 쓰기 연습지로 마무리하기

UNIT별 드릴 형식의 추가 문제와 문법을 문장에
적용해보는 Grammar in Sentences로
각 챕터에서 배운 내용을 충분히 복습해 보세요.

UNIT별 초등 필수 영단어를 한 번 더 확인하고,
따라 쓰는 연습을 해보세요. 단어의 철자와 뜻을
자연스럽게 외울 수 있어요.

무료 부가서비스

무료로 제공되는 부가서비스로 완벽히 복습하세요.
www.cedubook.com

① 단어 리스트 ② 단어 테스트

자세한 풀이 +

영어 문장의 우리말 뜻과
친절하고 자세한 해설을
수록하여 혼자서도 쉽고
재미있게 공부할 수 있어요.

Contents 차례

Study Plan

★ 9주 완성!

주 5일 학습기준이며, 학습 패턴 및 시간에 따라 **Study Plan**을 조정할 수 있어요.

*CH = CHAPTER, U = UNIT

	1일차	2일차	3일차	4일차	5일차
1주차	CH1 U1 Step 1, Step 2	CH1 U1 Step 3, 워크북	CH1 U2 Step 1, Step 2	CH1 U2 Step 3, 워크북	CH1 U3 Step 1, Step 2
2주차	CH1 U3 Step 3, 워크북	CH1 Exercise	CH2 U1 Step 1, Step 2	CH2 U1 Step 3, 워크북	CH2 U2 Step 1, Step 2
3주차	CH2 U2 Step 3, 워크북	CH2 U3 Step 1, Step 2	CH2 U3 Step 3, 워크북	CH2 Exercise Review CH1-2	CH3 U1 Step 1, Step 2
4주차	CH3 U1 Step 3, 워크북	CH3 U2 Step 1, Step 2	CH3 U2 Step 3, 워크북	CH3 U3 Step 1, Step 2	CH3 U3 Step 3, 워크북
5주차	CH3 Exercise Review CH2-3	CH4 U1 Step 1, Step 2	CH4 U1 Step 3, 워크북	CH4 U2 Step 1, Step 2	CH4 U2 Step 3, 워크북
6주차	CH4 Exercise Review CH3-4	CH5 U1 Step 1, Step 2	CH5 U1 Step 3, 워크북	CH5 U2 Step 1, Step 2	CH5 U2 Step 3, 워크북
7주차	CH5 Exercise Review CH4-5	CH6 U1 Step 1, Step 2	CH6 U1 Step 3, 워크북	CH6 U2 Step 1, Step 2	CH6 U2 Step 3, 워크북
8주차	CH6 Exercise Review CH5-6	CH7 U1 Step 1, Step 2	CH7 U1 Step 3, 워크북	CH7 U2 Step 1, Step 2	CH7 U2 Step 3, 워크북
9주차	CH7 Exercise Review CH6-7	FINAL TEST 1회	FINAL TEST 2회		

Before You Start 알아두기

① 자음과 모음

영어에는 자음 21개와 모음 5개가 있어요.
자음과 모음이 합쳐져서 의미를 가진 소리를 만들지요.

영어의 자음	b, c, d, f, g, h, j, k, l, m, n, p, q, r, s, t, v, w, x, y, z (모음을 뺀 나머지)
영어의 모음	a, e, i, o, u

jam 잼   **= j + a + m**
           자음 모음 자음

eraser 지우개   **= e + r + a + s + e + r**
               모음 자음 모음 자음 모음 자음

② 단어와 문장

단어

뜻을 가진 말의 가장 작은 단위를 단어라고 해요.
c + a + t = cat 고양이

문장

단어 여러 개가 일정한 순서로 모여서 의미를 전달하는 문장이 돼요.
여러 단어가 규칙 없이 나열만 되어서는 문장이 될 수 없어요.
is cat the cute. (✕) ➡ The cat is cute. (○)

문장의 규칙

첫 글자는 항상 대문자로 써요.	i see a cat. (✕) → I see a cat. (○) the cat is cute. (✕) → The cat is cute. (○)
문장의 끝에는 반드시 마침표(.), 물음표(?), 느낌표(!) 등과 같은 문장 부호를 써요.	I like my hat (✕) → I like my hat. (○) Is it a cat (✕) → Is it a cat? (○)

CHAPTER 1

이름을 나타내는 말 (명사)

학습 목표

Kate has a **book**.

Step 1 명사가 무엇인지 알아볼까요?

명사는 사람, 동물, 사물(물건), 장소 등과 같이 우리 주변에 있는 모든 것들의 이름을 나타내는 말이에요.

✛ 사람을 나타내는 말 ✛

boy
남자아이

girl
여자아이

grandma
할머니

Jenny
제니

Mr. Pitt
피트 씨

> 사람 이름은 항상 대문자로 시작해요.

✛ 동물을 나타내는 말 ✛

dog
개

cat
고양이

rabbit
토끼

lion
사자

cow
소

✛ 사물을 나타내는 말 ✛

apple
사과

pencil
연필

desk
책상

chair
의자

cheese
치즈

✛ 장소를 나타내는 말 ✛

house
집

school
학교

playground
놀이터

Seoul
서울

> 나라, 도시와 같은 이름도 항상 대문자로 시작해요.

A 명사이면 O, 명사가 아니면 X를 고르세요.

❶ eat　　먹다　　☐ ○　　☑ ✕

❷ London　　런던　　☐ ○　　☐ ✕

❸ tiger　　호랑이　　☐ ○　　☐ ✕

❹ Katie　　케이티　　☐ ○　　☐ ✕

❺ small　　작은　　☐ ○　　☐ ✕

❻ give　　주다　　☐ ○　　☐ ✕

❼ violin　　바이올린　　☐ ○　　☐ ✕

B 명사의 종류에 해당하는 알맞은 그림에 <u>모두</u> O 하세요.

❶ 사람

❷ 동물

❸ 사물

❹ 장소

C 다음 ( ) 안에서 명사인 것을 고르세요.

❶ (go / (table) / good)

❷ (strong / teach / brother)

❸ (Busan / very / eat)

❹ (homework / rainy / cry)

❺ (fresh / banana / long)

❻ (happy / cheese / tell)

❼ (fish / learn / small)

❽ (smart / ask / Ms. Park)

❾ (window / high / have)

❿ (milk / old / angry)

D 다음 단어를 알맞게 분류하여 표를 완성하세요.

pencil	see	India	family	piano	fast
delicious	sister	tennis	sunny	write	big

명사	pencil

명사가 아닌 것	

E 우리말에 맞게 문장을 완성하세요.

❶ 나는 / 가지고 있다 / **연필**을.

| I | have | a pencil | .

❷ 나는 / 가지고 있다 / **피아노**를.

| I | have | a | .

❸ 나는 / 가지고 있다 / **책상**을.

| I | have | a | .

Step 3 배운 내용을 문장에 적용해요.

정답과 해설 p.2

A 알맞은 것에 체크하고, 문장을 완성하세요.

❶ I have a bag . ☑ bag ☐ big

❷ I have a . ☐ cat ☐ cute

❸ I have a . ☐ hot ☐ hat

❹ I have a . ☐ chair ☐ cheap

❺ I have a . ☐ cool ☐ cup

B 우리말에 맞게 보기에서 알맞은 단어를 골라 쓴 다음, 전체 문장을 다시 쓰세요.

보기   doll   book   guitar

❶ 나는 책을 가지고 있다.

a book   I   have .

→ I have a book.

❷ 나는 기타를 가지고 있다.

I   a   have .

→ _____

❸ 나는 인형을 가지고 있다.

have   a   I .

→ _____

CHAPTER 1 명사   15

UNIT 2
A boy drinks water.

Step 1   명사는 모두 '하나, 둘 ...' 셀 수 있는지 알아볼까요?

이름을 나타내는 명사에는 '하나, 둘 ...' 셀 수 있는 명사가 있고 셀 수 없는 명사도 있어요.
이때 셀 수 있는 명사 앞에는 '하나의 ~'라는 뜻의 a나 an이 함께 쓰여요.

+ 셀 수 있는 명사 +

a + 셀 수 있는 명사	an + 셀 수 있는 명사
a boy 남자아이 a girl 여자아이 a pencil 연필	an apple 사과 an egg 달걀
a desk 책상 a chair 의자 a house 집	an orange 오렌지 an umbrella 우산

✔ 체크   an은 발음이 모음(a, e, i, o, u)으로 시작하는 명사 앞에 써요.

+ 셀 수 없는 명사 +

> 셀 수 없는 명사 앞에는
> a나 an을 쓸 수 없어요.

정해진 모양이 없거나 알갱이가 너무 작은 것	bread 빵 salt 소금	butter 버터 sugar 설탕	cheese 치즈 rice 쌀	
액체, 기체	water 물	milk 우유	gas 가스	
과목, 운동	math 수학	science 과학	soccer 축구	baseball 야구
사람, 나라, 도시 이름	Lucy 루시	Ms. Parker 파커 씨	Korea 한국	Seoul 서울
만지거나 볼 수 없는 것	time 시간	love 사랑	hope 희망	

✔ 체크   money(돈)는 셀 수 없는 명사인 것에 주의하세요.
       동전과 지폐는 셀 수 있지만, 모든 종류의 돈을 포함하는 개념인 money는 셀 수 없어요.

A 셀 수 있는 명사이면 O, 셀 수 없는 명사이면 X를 고르세요.

① Korea   한국   ☐ ○   ☑ ✕

② salt   소금   ☐ ○   ☐ ✕

③ camera   카메라   ☐ ○   ☐ ✕

④ beauty   아름다움   ☐ ○   ☐ ✕

⑤ car   차   ☐ ○   ☐ ✕

⑥ peace   평화   ☐ ○   ☐ ✕

⑦ tree   나무   ☐ ○   ☐ ✕

B 다음 중 셀 수 없는 명사를 고르세요.

①

orange   house   coffee   train

②

money   star   cap   frog

③

bench   butter   television   teacher

④

bicycle   lemon   girl   juice

C 다음 그림과 단어를 보고, ( ) 안에서 알맞은 것을 고르세요.

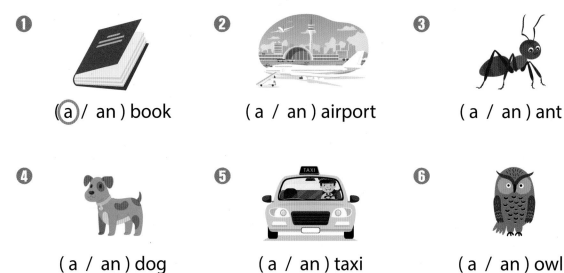

❶ ((a) / an) book

❷ (a / an) airport

❸ (a / an) ant

❹ (a / an) dog

❺ (a / an) taxi

❻ (a / an) owl

D 다음 단어를 알맞게 분류하여 표를 완성하세요.

| rice | pencil | English | restaurant | money | egg |
| love | computer | Kevin | bread | church | box |

셀 수 있는 명사	pencil
셀 수 없는 명사	

E 우리말에 맞게 문장을 완성하세요.

❶ 나는 / 가지고 있다 / **오렌지** 하나를.

I | have | an | _____ .

❷ 나는 / 좋아한다 / **빵**을.

I | like | _____ .

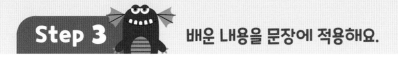

A 알맞은 것에 체크하고, 문장을 완성하세요.

① I   have   a ball .   ☑ a ball   ☐ an ball

② I   like   ＿＿＿ .   ☐ a music   ☐ Susie

③ I   like   ＿＿＿ .   ☐ milk   ☐ a cheese

④ I   have   ＿＿＿ .   ☐ a umbrella   ☐ an umbrella

⑤ I   like   ＿＿＿ .   ☐ English   ☐ an English

B 우리말에 맞게 보기에서 알맞은 단어를 골라 쓴 다음, 전체 문장을 다시 쓰세요.

| 보기 | a   an   puppy   music   apple |

① 나는 음악을 좋아한다.

music   I   like .

→ I like music.

② 나는 강아지 한 마리가 있다.

I   ＿＿＿   have .

→ ＿＿＿＿＿＿＿＿＿＿

③ 나는 사과 하나를 가지고 있다.

have   ＿＿＿   I .

→ ＿＿＿＿＿＿＿＿＿＿

UNIT 3 — Two **boys** run.

Step 1 — 명사가 하나보다 많을 때는 모양이 어떻게 바뀔까요?

명사가 하나일 때는 단수, 둘 이상일 때는 복수라고 해요. 명사의 복수형은 대부분 명사 뒤에 -s를 붙이지만, 다른 규칙들도 있어서 잘 알아두어야 해요.

+ 명사의 단수와 복수 +

단수형: a/an + 명사 (하나)		복수형: 명사 + -s/-es (둘 이상)	
a pencil 연필	a desk 책상	two pencils 연필 두 자루	three desks 책상 세 개
an egg 달걀	a box 상자	six eggs 달걀 여섯 개	four boxes 상자 네 개

✔ 체크 영어에서는 '하나, 둘…' 셀 수 있는 명사에는 한 개인지, 여러 개인지를 꼭 표시해 줘야 해요.
그래서 셀 수 있는 명사는 혼자서 쓰일 수 없어요.
I have **eraser**. (X) I have **an eraser**. (O) I have **two erasers**. (O)

+ 명사의 복수형 만드는 법 +

대부분의 명사	+ -s	boy 남자아이 → boys cat 고양이 → cats book 책 → books	dog 개 → dogs apple 사과 → apples umbrella 우산 → umbrellas
-s, -sh, -ch, -x로 끝나는 명사	+ -es	bu<u>s</u> 버스 → buses di<u>sh</u> 접시 → dishes wat<u>ch</u> 손목시계 → watches bo<u>x</u> 상자 → boxes	cla<u>ss</u> 수업 → classes bru<u>sh</u> 붓, 솔 → brushes chur<u>ch</u> 교회 → churches fo<u>x</u> 여우 → foxes

A 다음 명사의 알맞은 복수형을 고르세요.

❶	a chair	의자	☐ chaires	☑ chairs
❷	an orange	오렌지	☐ oranges	☐ orangees
❸	a teacher	선생님	☐ teachers	☐ teacheres
❹	a pencil	연필	☐ penciles	☐ pencils
❺	a church	교회	☐ churches	☐ churchs
❻	a lion	사자	☐ lions	☐ liones
❼	a class	수업	☐ classs	☐ classes

B 다음 명사의 복수형을 쓰세요.

❶	a desk	책상	→ two	desks
❷	an apple	사과	→ three	_____
❸	a house	집	→ five	_____
❹	a bench	벤치	→ three	_____
❺	a watch	손목시계	→ six	_____
❻	a student	학생	→ four	_____
❼	a dolphin	돌고래	→ seven	_____
❽	a sandwich	샌드위치	→ four	_____
❾	a toy	장난감	→ two	_____
❿	a fox	여우	→ five	_____
⓫	a car	차	→ three	_____
⓬	a box	상자	→ eight	_____

다음 그림을 보고, 빈칸에 명사의 알맞은 형태를 쓰세요.

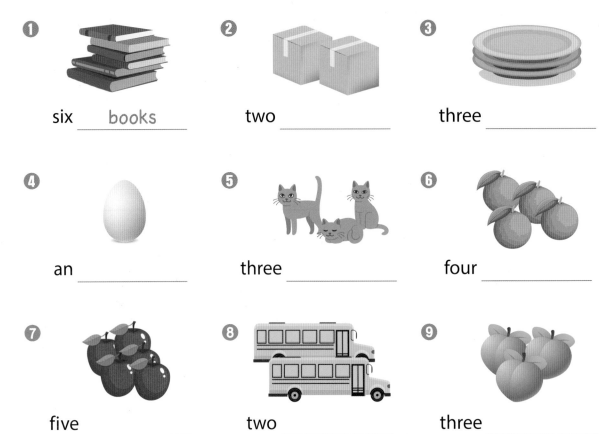

❶ six __books__

❷ two _____

❸ three _____

❹ an _____

❺ three _____

❻ four _____

❼ five _____

❽ two _____

❾ three _____

우리말에 맞게 문장을 완성하세요.

❶ 나는 / 필요하다 / **오렌지 세 개**가.

[I] [need] [_____] .

❷ 나는 / 필요하다 / **상자 두 개**가.

[I] [need] [_____] .

❸ 나는 / 가지고 있다 / **우산 두 개**를.

[I] [have] [_____] .

Step 3 배운 내용을 문장에 적용해요.

A 알맞은 것에 체크하고, 문장을 완성하세요.

❶ I need two oranges . ☐ orange ☑ oranges

❷ I need four _____ . ☐ bananaes ☐ bananas

❸ I have three _____ . ☐ watches ☐ watchs

❹ I need five _____ . ☐ box ☐ boxes

❺ I have two _____ . ☐ sandwiches ☐ sandwichs

B 우리말에 맞게 보기에서 알맞은 단어를 골라 바꿔 쓴 다음, 전체 문장을 다시 쓰세요.

보기 four   dish   three   two   box   hat

❶ 나는 상자 세 개가 필요하다.

three boxes | I | need .

→ I need three boxes.

❷ 나는 접시 두 개가 필요하다.

I | _____ | need .

→ _____

❸ 나는 모자 네 개를 가지고 있다.

have | _____ | I .

→ _____

CHAPTER EXERCISE

[01~02] 다음 중 명사를 <u>두 개</u> 고르세요.

01 ① fast
② cap
③ Paris
④ eat

02 ① fish
② see
③ good
④ Peter

[03~04] 다음 중 셀 수 없는 명사를 고르세요.

03 ①
②
③
④

04 ① door
② love
③ sister
④ lemon

[05~06] 다음 중 셀 수 있는 명사를 고르세요.

05 ①
②
③
④

06 ① hope
② Tokyo
③ tree
④ math

07 다음 중 첫 글자를 대문자로 써야 하는 단어를 <u>세 개</u> 골라 바르게 고쳐 쓰세요.

house	seoul	church
tony	england	school

_____ ➡ _____

_____ ➡ _____

_____ ➡ _____

[08~11] 다음 그림과 단어를 보고, 알맞은 것을 고르세요.

08

a / an   guitar

09

a / an   elephant

10

three   dishs / dishes

11

two   bikes / bikees

[12~13] 다음 중 명사의 복수형이 바르게 짝지어진 것을 고르세요.

12 ① girl - girles

② fox - foxes

③ church - churchs

④ bus - buss

13 ① dish - dishs

② brother - brotheres

③ box - boxs

④ pencil - pencils

[14~17] 다음 밑줄 친 부분을 바르게 고쳐 쓰세요.

14 I live in <u>london</u>.

→ _____

15 I need two <u>box</u>.

→ _____

16 I have <u>a</u> orange.

→ _____

17 I like <u>a</u> math.

→ _____

[18~22] 다음 보기의 단어를 이용하여 빈칸에 알맞은 말을 쓰세요.

<보기>

a	an	two
umbrella	three	sister
rose	milk	watch

18 나는 장미 두 송이를 가지고 있다.

→ I have _____ _____.

19 나는 언니가 한 명 있다.

→ I have _____ _____.

20 나는 우유를 좋아한다.

→ I like _____.

21 나는 우산 한 개가 필요하다.

→ I need _____

_____.

22 나는 손목시계 세 개를 가지고 있다.

→ I have _____

_____.

[23~25] 다음 글의 밑줄 친 부분 중 틀린 세 곳을 차례대로 찾아 바르게 고쳐 쓰세요.

I like a baseball. My friend, nick likes baseball, too. I have two glove. I have a ball. I need a bat.

23

_____ → _____

24

_____ → _____

25

_____ → _____

CHAPTER 2

명사를 대신하는 말 (대명사)

학습 목표

UNIT 1

대명사 I, We, You

I am Ben.

대명사가 무엇인지 알아볼까요?

'명사'는 이름을 나타내는 말이었지요? 이러한 명사를 대신해서 쓸 수 있는 말이 있는데,
이러한 단어를 '대명사'라고 해요. 대명사 중에서도 주어 자리에 오는 I, We, You를 배워요.

✦ 대명사 I와 We ✦

I = 나는, 내가	We = 우리는, 우리가
I I am Ben. 나는 벤이야. I는 '나'를 나타내는 말이에요.	**WE** We are friends. 우리는 친구야. We는 '우리'를 나타내는 말이에요. '나'를 포함해서 여러 명일 때 써요. You and I → **We**

☑체크 주어: 문장에서 주인 역할을 하며, 문장 맨 앞에 와요.
　　　 우리말 '~은, ~는, ~이, ~가'로 해석하고, 주로 주어 자리에는 명사, 대명사가 와요.

I(나)는 항상
대문자로만 쓰여요.

☑체크 We는 'I(나)'를 꼭 포함하기 때문에 「＿＿＿ and I (~와 나)」를 의미해요.
　　　 Jess **and I** (제스와 나) / My friend **and I** (내 친구와 나) → We (우리)

✦ 대명사 You ✦

You = 너는, 네가	You = 너희들은, 너희들이
YOU You are my friend. 너는 내 친구야. You는 '너'를 나타내는 말이에요.	**YOU** You are my friends. 너희들은 내 친구들이야. You는 '너희들'을 나타내기도 해요. '너'를 포함한 여러 명을 뜻해요. You and Danny → **You**

A 다음 밑줄 친 대명사의 알맞은 우리말 뜻을 고르세요.

❶ <u>We</u> are friends. ☐ 나는 ☑ 우리는

❷ <u>You</u> are a student. ☐ 너는 ☐ 나는

❸ <u>I</u> am a teacher. ☐ 너는 ☐ 나는

❹ <u>We</u> are singers. ☐ 너희들은 ☐ 우리는

❺ Robin and <u>I</u> are doctors. ☐ 우리는 ☐ 나는

❻ <u>You</u> are baseball players. ☐ 너희들은 ☐ 너는

B 우리말에 맞게 ( ) 안에서 알맞은 것을 고르세요.

❶

(I / (We)) are friends.
우리는 친구이다.

❷

(You / I) are a ballerina.
당신은 발레리나이다.

❸

(I / We) am a police officer.
나는 경찰관이다.

❹

(We / You) are students.
너희들은 학생들이다.

C 우리말에 맞게 빈칸에 알맞은 말을 쓰세요.

❶ 나는 가수이다. → _____I_____ am a singer.

❷ 당신은 축구 선수이다. → _____ are a soccer player.

❸ 우리는 소방관이다. → _____ are firefighters.

❹ 너는 내 학생이다. → _____ are my student.

❺ 나는 수의사이다. → _____ am a vet.

D 다음 밑줄 친 부분을 대신해서 쓰는 말로 바꿔 쓰세요.

❶ <u>You and I</u> are friends. → _____We_____

❷ <u>You and Kelly</u> are sisters. → _____

❸ <u>Erin and I</u> are happy. → _____

E 우리말에 맞게 문장을 완성하세요.

❶ **나는** / ~이다 / 학생.

┊ I ┊ | am | | a student | .

❷ **당신은** / ~이다 / 간호사.

┊ ┊ | are | | a nurse | .

❸ **우리는** / ~이다 / 비행기 조종사들.

┊ ┊ | are | | pilots | .

❹ **당신들은** / ~이다 / 농부들.

┊ ┊ | are | | farmers | .

A 다음 그림을 보고 알맞은 것에 체크한 다음, 문장을 완성하세요.

❶ | We | are | tall | . ☑ We ☐ I

❷ | | are | my friend | . ☐ We ☐ You

❸ | | am | Nick | . ☐ I ☐ You

B 우리말에 맞게 알맞은 단어를 넣고, 전체 문장을 다시 쓰세요.

❶ 나는 가수이다.

| a singer | I | am | .

➔ _I am a singer._

❷ 너희들은 친절해.

| are | kind | | .

➔ _____

❸ 우리는 피아노 연주가이다.

| pianists | | are | .

➔ _____

❹ 당신은 요리사이다.

| a cook | are | | .

➔ _____

UNIT 2

대명사 He, She, It, They

He is kind.

대명사 중에서도 주어 자리에 오는 He, She, It, They를 배워요.
He, She, They는 모두 '나'와 '너'를 제외한 다른 사람을 대신해서 쓰여요.

✛ 대명사 He와 She ✛

He = 그는, 그가 (남자 1명)	She = 그녀는, 그녀가 (여자 1명)
 **Ted** is my brother. He is kind. 테드는 내 형이야. 그는 친절해.	**Jina** is my sister. She is kind. 지나는 내 언니야. 그녀는 친절해.
He는 남자인 '그'를 나타내는 말이에요. Danny, my dad, my brother, the boy ➜ **He**	She는 여자인 '그녀'를 나타내는 말이에요. Kelly, my mom, my sister, the girl ➜ **She**

He와 She 모두 '나'와 '너'를 제외한 다른 사람을 대신해요.

✛ 대명사 It과 They ✛

It = 그것은, 그것이 (하나)	They = 그들은, 그것들은 (여럿)
It is a book. 그것은 책이야.	They are my friends. 그들은 내 친구들이야.
It은 '그것'을 나타내는 말이에요. 사물이나 동물 하나를 대신해요. the book, the bike ➜ **It** the cat, the dog ➜ **It**	 They are cats. 그것들은 고양이들이야. They는 '그들'이나 '그것들'을 나타내요. '나'와 '너'를 제외한 여러 사람, 물건 여러 개, 동물 여러 마리를 대신해요. my friends, Kevin and Tom ➜ **They** the books, the cats, the dogs ➜ **They**

They는 여럿을 나타내므로 be동사 뒤에 복수 명사가 와요. (friends, cats)

A 다음 밑줄 친 대명사의 알맞은 우리말 뜻을 고르세요.

❶ <u>It</u> is a bike. □ 그들은 ☑ 그것은

❷ <u>They</u> are my sisters. □ 그녀는 □ 그들은

❸ <u>He</u> is my teacher. □ 그는 □ 그녀는

❹ <u>It</u> is a rabbit. □ 그녀는 □ 그것은

❺ <u>She</u> is a doctor. □ 그는 □ 그녀는

❻ <u>They</u> are bears. □ 그것들은 □ 그것은

B 다음 그림을 보고, ( ) 안에서 알맞은 것을 고르세요.

❶

(They / (He)) is a teacher.
그는 선생님이다.

❷

(She / He) is a zookeeper.
그녀는 동물원 사육사이다.

❸

(It / They) are soccer players.
그들은 축구 선수들이다.

❹

(She / It) is a deer.
그것은 사슴이다.

C 다음 그림을 보고, 보기에서 알맞은 것을 골라 문장을 완성하세요.

보기   He   She   It   They

❶ _____She_____ is a cook.

❷ _____ is a bike.

❸ _____ are firefighters.

❹ _____ is a camera.

❺ _____ is an artist.

❻ _____ is a scientist.

❼ _____ are monkeys.

❽ _____ is a dog.

❾ _____ is a doctor.

D 우리말에 맞게 문장을 완성하세요.

❶ <u>그들은</u> / ~이다 / 배우들.

[They] [are] [actors] .

❷ <u>그는</u> / ~이다 / 내 친구.

[   ] [is] [my friend] .

❸ <u>그것은</u> / ~이다 / 고양이.

[   ] [is] [a cat] .

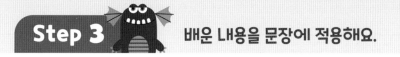

A 다음 그림을 보고 알맞은 것에 체크한 다음, 문장을 완성하세요.

❶ She is a doctor . ☐ It ☑ She

❷ _____ is a goat . ☐ They ☐ It

❸ _____ is a cook . ☐ He ☐ She

❹ _____ are sandwiches . ☐ He ☐ They

B 우리말에 맞게 알맞은 단어를 넣고, 전체 문장을 다시 쓰세요.

❶ 그는 간호사이다.

 a nurse | He | is .

→ He is a nurse.

❷ 그들은 경찰관들이다.

 police officers are [ ] .

→ _____

❸ 그것은 책이다.

 a book [ ] is .

→ _____

UNIT 3

My name is Ben.

Step 1 소유를 나타내는 대명사가 무엇인지 알아볼까요?

소유는 무언가를 가지고 있다는 의미예요.
'~의'라는 의미를 가진 대명사 my, our, your, his, her, its, their는 명사 앞에 쓰여서 누구의 것인지 나타내요.

✦ 소유를 나타내는 대명사 ✦

I	we	you	he	she	it	they
나는	우리는	너는/너희들은	그는	그녀는	그것은	그들은/그것들은
my	**our**	**your**	**his**	**her**	**its**	**their**
나의	우리의	너의/너희들의	그의	그녀의	그것의	그들의/그것들의

✦ 소유를 나타내는 대명사의 쓰임 ✦

소유를 나타내는 대명사 + 명사

I have a brother. **My brother** is cute.
나는 남동생이 있다. 나의 남동생은 귀엽다.

We have a table. We like **our table**.
우리는 테이블이 있다. 우리는 우리의 테이블이 마음에 든다.

You have a sheep. **Your sheep** is gray.
당신은 양이 있다. 당신의 양은 회색이다.

He has a car. **His car** is green.
그는 차를 가지고 있다. 그의 차는 초록색이다.

She has an umbrella. **Her umbrella** is yellow.
그녀는 우산을 가지고 있다. 그녀의 우산은 노란색이다.

It has a tail. **Its tail** is long.
그것은 꼬리를 가지고 있다. 그것의 꼬리는 길다.

They have a tent. **Their tent** is small.
그들은 텐트를 가지고 있다. 그들의 텐트는 작다.

A 다음 밑줄 친 대명사의 알맞은 우리말 뜻을 고르세요.

❶ It is <u>my</u> bag.   ☑ 나의   ☐ 너의

❷ <u>His</u> name is Jinwoo.   ☐ 그것의   ☐ 그의

❸ They are <u>our</u> jump ropes.   ☐ 우리의   ☐ 나의

❹ He is <u>her</u> brother.   ☐ 그의   ☐ 그녀의

❺ It is <u>their</u> house.   ☐ 그들의   ☐ 우리의

❻ They are <u>your</u> shoes.   ☐ 너의   ☐ 그의

B 다음 그림을 보고, ( ) 안에서 알맞은 것을 고르세요.

❶

It is (he /(his)) camera.

그것은 그의 카메라이다.

❷

They are (your / you) friends.

그들은 너의 친구들이다.

❸

It is (its / their) house.

그것은 그들의 집이다.

❹

She is (my / our) sister.

그녀는 내 여동생이다.

C 우리말에 맞게 밑줄 친 부분을 고쳐 전체 문장을 다시 쓰세요.

❶ It is **I** book. 그것은 나의 책이다.
→   It is my book.

❷ **My** name is Jina. 그녀의 이름은 지나이다.
→ _____

❸ It is **you** cup. 그것은 너의 컵이다.
→ _____

❹ **We** house is beautiful. 우리의 집은 아름답다.
→ _____

❺ They are **their** children. 그들은 그의 아이들이다.
→ _____

D 우리말에 맞게 문장을 완성하세요.

❶ 그것은 / ~이다 / **나의** 집.

| It | is | my | house |

.

❷ 그것은 / ~이다 / **우리의** 학교.

| It | is | | school |

.

❸ 그는 / ~이다 / **그들의** 선생님.

| He | is | | teacher |

.

A 다음 그림을 보고 알맞은 것에 체크한 다음, 문장을 완성하세요.

❶ It | is | my | car . ☐ their ☑ my

❷ It | is | | violin . ☐ our ☐ his

❸ They | are | | balloons . ☐ their ☐ its

❹ It | is | | school . ☐ our ☐ we

B 우리말에 맞게 알맞은 단어를 넣고, 전체 문장을 다시 쓰세요.

❶ 그것은 나의 책이다.

It | book | is | my .

➡ It is my book.

❷ 그녀의 이름은 지수이다.

Jisu | | name | is .

➡ _____

❸ 너의 개는 귀여워.

dog | is | | cute .

➡ _____

CHAPTER EXERCISE

정답과 해설 p.5

[01~02] 다음 중 대명사와 우리말 뜻이 <u>잘못</u> 짝지어진 것을 고르세요.

01 ① he - 그는
② her - 그녀의
③ its - 그것은
④ our - 우리의

02 ① your - 너의
② they - 그는
③ his - 그의
④ we - 우리는

[03~05] 다음 그림을 보고, 알맞은 것을 고르세요.

03 The ball
➡ ☐ It   ☐ They

04 My grandma
➡ ☐ He   ☐ She

05 Two horses
➡ ☐ He   ☐ They

[06~09] 다음 그림을 보고, 알맞은 것에 연결하세요.

06  •

07 •

08 •

09  •

• They

• He

• It

• She

[10~11] 다음 빈칸에 들어갈 말로 알맞지 <u>않은</u> 것을 고르세요.

10 They are _____ friends.

① his   ② my
③ we   ④ her

11 _____ are students.

① You   ② They
③ We   ④ He

[12~13] 우리말에 맞게 (   ) 안에서 알맞은 것을 고르세요.

12 그것은 나의 개다.

→ It is (our / my) dog.

13 이것은 그의 티셔츠이다.

→ This is (his / their) T-shirt.

[14~16] 우리말에 맞게 보기에서 알맞은 것을 골라 문장을 완성하세요.

<보기>

she	his	I	your	her
our	it	they	he	my

14 그는 내 남동생이다.

→ _____ is _____ brother.

15 그것은 우리의 자동차이다.

→ _____ is _____ car.

16 그의 이름은 민호이다.

→ _____ name is Minho.

[17~20] 다음 보기와 같이 밑줄 친 부분을 알맞은 대명사로 바꾸고, 전체 문장을 다시 쓰세요.

<보기>

The dogs are cute.

→ They are cute.

17 Noah and Roy are my brothers.

→ _____

_____

18 The book is fun.

→ _____

_____

19 Jenny and I are basketball players.

→ _____

_____

20 The girl is American.

→ _____

_____

A 다음 ( ) 안에서 알맞은 것을 고르세요.

❶ It is (a / (an)) onion.

❷ They are (boxs / boxes).

❸ It is an (umbrella / guitar).

❹ It is a (chairs / chair).

❺ I like (math / a math).

❻ I need three (dishes / dishs).

B 다음 보기에서 알맞은 것을 골라 문장을 완성하세요.

보기	Its	He	Her	It

❶ I have a sister. _____Her_____ name is Anne.

❷ My mother has a car. _____ is new.

❸ I have a brother. _____ is tall.

❹ My friend has a dog. _____ name is Rudy.

C 다음 밑줄 친 부분을 바르게 고쳐 쓰세요.

❶ I drink <u>waters</u>. → _____water_____

❷ My aunt has two <u>kid</u>. → _____

❸ <u>Their</u> have three peaches. → _____

CHAPTER 3

be동사 (am, are, is)

학습 목표

UNIT 1 **대명사 + be동사**

be동사가 무엇인지, 대명사에 따라 be동사의 모양이 어떻게 바뀌는지 알아요.

I am Ben.

UNIT 2 **명사 + be동사**

명사 뒤에 알맞은 모양의 be동사를 쓸 수 있어요.

The cat is cute.

UNIT 3 **be동사 + 장소**

be동사 뒤에 장소를 나타내는 말이 올 때 알맞은 의미와 쓰임을 알아요.

The cat is on the sofa.

UNIT 1

I am Ben.

Step 1　be동사가 무엇인지 알아볼까요?

be동사는 '~이다'라는 뜻을 나타내는데, am, are, is의 세 가지 모양이 있어요.
이때 be동사의 모양은 앞에 나온 대명사 주어의 종류에 따라 달라져요.

✛ 대명사 주어 + be동사 ✛

단수 (하나)			복수 (여럿)		
I 나는	**am**	a student.	We 우리는	**are**	students.
You 너는	**are**	a student.	You 너희들은	**are**	students.
She 그녀는	**is**	a student.	They 그들은	**are**	students.
He 그는	**is**	a student.			
It 그것은	**is**	a book.	They 그것들은	**are**	books.

✔체크　항상 I 뒤에는 am, You 뒤에는 are가 쓰여요.

✔체크　We, You(너희들), They는 여럿을 나타내므로 뒤에 오는 명사도 복수형으로 써야 해요.
They are **student**s.　They are **book**s.

✛ 대명사 주어와 be동사의 줄임말 ✛

I am	We are	You are	They are	She is	He is	It is
I'm	**We're**	**You're**	**They're**	**She's**	**He's**	**It's**

✔체크　원어민들은 대부분 말할 때 이렇게 줄여서 사용해요.
아포스트로피(')는 생략된 글자를 대신하므로 빠뜨리면 안 돼요.

A 다음 문장에서 be동사를 찾아 동그라미 하세요.

❶ I (am) a student. 나는 학생이다.

❷ It is a cat. 그것은 고양이다.

❸ You are smart. 너는 똑똑하다.

❹ We are friends. 우리는 친구이다.

❺ He is kind. 그는 친절하다.

❻ They are tall. 그들은 키가 크다.

❼ She is a teacher. 그녀는 선생님이다.

B 다음 ( ) 안에서 알맞은 것을 고르세요.

❶
He (am / are / (is)) my father.
그는 나의 아버지이다.

❷
They (am / are / is) his brothers.
그들은 그의 형제들이다.

❸
She (am / are / is) my grandmother.
그녀는 나의 할머니이다.

❹
We (am / are / is) soccer players.
우리는 축구 선수들이다.

❺
It (am / are / is) her bicycle.
그것은 그녀의 자전거이다.

C 다음 보기에서 알맞은 be동사를 골라 문장을 완성하세요.

| 보기 | is | am | are |

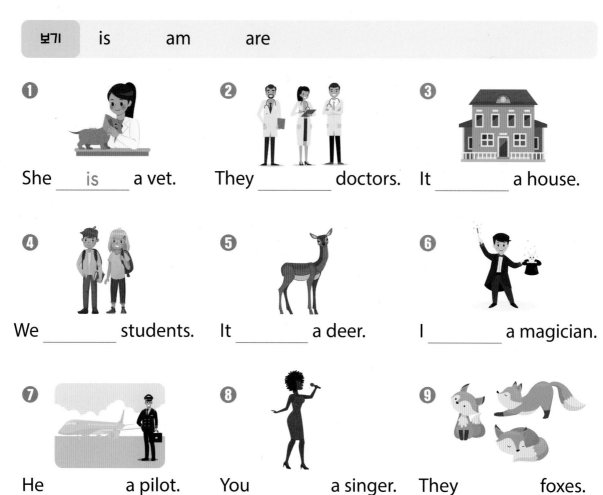

❶ She ___is___ a vet.

❷ They _____ doctors.

❸ It _____ a house.

❹ We _____ students.

❺ It _____ a deer.

❻ I _____ a magician.

❼ He _____ a pilot.

❽ You _____ a singer.

❾ They _____ foxes.

D 다음 밑줄 친 부분의 줄임말로 알맞은 것을 고르세요.

❶ <u>She is</u> my sister.　　　　(She's / Sh'es)

❷ <u>I am</u> an artist.　　　　　(I'am / I'm)

❸ <u>We are</u> police officers.　(We're / Wer'e)

❹ <u>You are</u> kind.　　　　　(You'e / You're)

❺ <u>It is</u> a hamster.　　　　(Its / It's)

❻ <u>He is</u> my grandfather.　(He's / H'es)

❼ <u>They are</u> my friends.　　(The're / They're)

A 알맞은 것에 체크하고, 문장을 완성하세요.

❶ He is hungry . ☐ am ☑ is

❷ They firefighters . ☐ is ☐ are

❸ It cute . ☐ is ☐ are

❹ I a singer . ☐ am ☐ is

❺ We cooks . ☐ is ☐ are

B 우리말에 맞게 알맞은 be동사를 넣고, 전체 문장을 다시 쓰세요.

❶ 나는 배우이다.

an actor I am .

→ I am an actor.

❷ 그녀는 나의 할머니이다.

my ⬚ grandma She .

→ _____

❸ 우리는 선생님이다.

teachers ⬚ We .

→ _____

UNIT 2

명사 + be동사

The cat is cute.

Step 1 명사 뒤에는 어떤 be동사가 쓰일까요?

명사는 사람, 동물, 사물(물건), 장소 등의 이름을 나타내는 말이라는 것을 배웠어요.
주어로 쓰인 명사가 하나이거나 셀 수 없을 때는 be동사 is를 쓰고, 여럿일 때는 are를 써요.

+ 명사 주어 + is +

단수(하나) 명사 주어	**My grandma** (→ She)	is	kind.	나의 할머니는 친절하시다.
	My brother (→ He)	is	8 years old.	내 남동생은 여덟 살이다.
	Jenny (→ She)	is	a singer.	제니는 가수이다.
	Andy (→ He)	is	a scientist.	앤디는 과학자이다.
	The cat (→ It)	is	cute.	그 고양이는 귀엽다.

✓ 체크 명사를 대명사로 바꿔 보면 함께 쓰이는 be동사를 쉽게 알 수 있어요.

✓ 체크 셀 수 없는 명사 주어 뒤에는 항상 be동사 is가 와요.
The water **is** cold. (물이 차갑다.)

> 명사 주어와 be동사는
> 줄여 쓸 수 없어요.
> The cat's cute. (X)

+ 명사 주어 + are +

복수(여럿) 명사 주어	**Nate and I** (→ We)	are	friends.	네이트와 나는 친구이다.
	You and Elly (→ You)	are	kind.	너와 엘리는 친절하다.
	Pam and Ted (→ They)	are	police officers.	팸과 테드는 경찰관이다.
	The flowers (→ They)	are	pretty.	그 꽃들은 예쁘다.
	Her shoes (→ They)	are	new.	그녀의 신발은 새것이다.

✓ 체크 「A and B (A와 B)」는 여럿을 나타내므로 뒤에 항상 be동사 are가 와요.

A 다음 명사를 대명사로 바꾸고, 알맞은 be동사를 고르세요.

❶ The car　　→ _____It_____　　☑ is　☐ are

❷ Amy and Nick　　→ _____　　☐ is　☐ are

❸ You and Tony　　→ _____　　☐ is　☐ are

❹ The dogs　　→ _____　　☐ is　☐ are

❺ Nick　　→ _____　　☐ is　☐ are

❻ Jessie and I　　→ _____　　☐ is　☐ are

❼ The desks　　→ _____　　☐ is　☐ are

❽ The cat　　→ _____　　☐ is　☐ are

B 다음 ( ) 안에서 알맞은 것을 고르세요.

❶
Steve ((is) / are) a nurse.
스티브는 간호사이다.

❷
The bird (is / are) small.
그 새는 작다.

❸
Lisa and Ellen (is / are) sisters.
리사와 엘렌은 자매이다.

❹
My shoes (is / are) dirty.
내 신발은 더럽다.

❺
The oranges (is / are) sweet.
오렌지들이 달다.

C 다음 그림을 보고, 보기에서 알맞은 대명사를 골라 문장을 완성하세요.

보기 he   she   it   they   we   you

❶ The dog
___It___ is cute.

❷ Anna
_____ is a doctor.

❸ Peter and I
_____ are friends.

❹ You and Jin
_____ are cooks.

❺ The cars
_____ are new.

❻ Oliver
_____ is a taxi driver.

D 다음 중 알맞은 것을 고르세요.

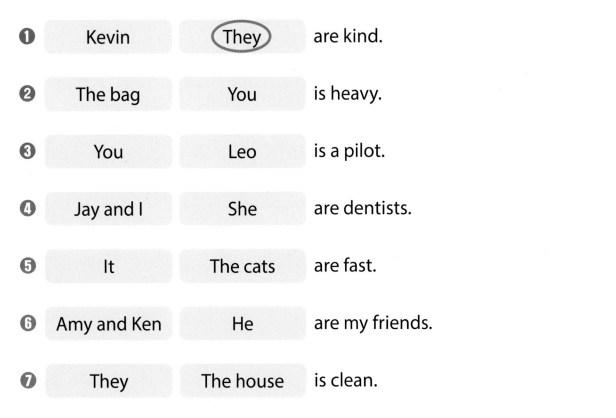

❶ Kevin   (They)   are kind.

❷ The bag   You   is heavy.

❸ You   Leo   is a pilot.

❹ Jay and I   She   are dentists.

❺ It   The cats   are fast.

❻ Amy and Ken   He   are my friends.

❼ They   The house   is clean.

A 알맞은 것에 체크하고, 문장을 완성하세요.

❶ [The flowers] [are] [beautiful] . ☐ is ☑ are

❷ [The ant] [ ] [small] . ☐ is ☐ are

❸ [Ben and I] [ ] [police officers] . ☐ is ☐ are

❹ [Jake] [ ] [a nurse] . ☐ is ☐ are

❺ [My shoes] [ ] [new] . ☐ is ☐ are

B 우리말에 맞게 알맞은 be동사를 넣고, 전체 문장을 다시 쓰세요.

❶ Aaron(아론)과 나는 친구이다.

[friends] [are] [Aaron and I] .

→ Aaron and I are friends.

❷ 그 집은 크다.

[big] [The house] [ ] .

→ _____

❸ 너와 Joe(조)는 친절하다.

[ ] [kind] [You and Joe] .

→ _____

UNIT 3

The cat **is on the sofa**.

Step 1 be동사 다음에는 또 어떤 말이 올까요?

앞에서 be동사는 '~이다'라는 뜻이라고 배웠어요.
be동사 다음에 장소를 나타내는 말이 오면 '~(에) 있다'라는 뜻으로도 쓰여요.

+ be동사의 뜻 +

be동사 + 명사	~이다	He **is a cook**. 그는 요리사이다.
be동사 + 형용사	(어떠)하다	She **is happy**. 그녀는 행복하다.
be동사 + 장소	~(에) 있다	The cat **is on the sofa**. 그 고양이는 소파 위에 있다.

✔체크 형용사는 명사를 꾸며주거나 명사의 상태를 설명해주는 말이에요.
big(큰), small(작은), happy(행복한), angry(화가 난), sad(슬픈), hungry(배고픈), pretty(예쁜) 등

+ be동사 + 장소를 나타내는 말 +

be동사 + in ~	~ 안에 있다		A cat **is in the box**. 고양이가 상자 안에 있다.
be동사 + on ~	~ 위에 있다		The books **are on the table**. 책들이 탁자 위에 있다.
be동사 + at ~	~에 있다		Susie **is at the bus stop**. 수지는 버스 정류장에 있다.
			He **is at home**. 그는 집에 있다.

A 다음 밑줄 친 be동사의 알맞은 뜻을 고르세요.

❶ It **is** a horse.   ☑ ~이다   ☐ ~(에) 있다

❷ They **are** at school.   ☐ (어떠)하다   ☐ ~(에) 있다

❸ She **is** in the room.   ☐ ~이다   ☐ ~(에) 있다

❹ You **are** a painter.   ☐ ~이다   ☐ ~(에) 있다

❺ Mia and I **are** hungry.   ☐ (어떠)하다   ☐ ~(에) 있다

❻ I **am** in the garden.   ☐ ~이다   ☐ ~(에) 있다

❼ The cake **is** delicious.   ☐ (어떠)하다   ☐ ~(에) 있다

❽ A computer **is** on the desk.   ☐ ~이다   ☐ ~(에) 있다

B 다음 그림을 보고, 보기에서 알맞은 것을 골라 문장을 완성하세요.

보기	in the zoo in the kitchen on the box at the farm

❶  She is _____in the kitchen_____.
그녀는 부엌에 있다.

❷  We are _____.
우리는 농장에 있다.

❸  People are _____.
사람들이 동물원에 있다.

❹  The cat is _____.
그 고양이는 상자 위에 있다.

C 다음 문장을 우리말로 해석하세요.

1 We are in the library.

→ 우리는 ___도서관에 있다___ .

2 He is a firefighter.

→ 그는 _____ .

3 They are in the classroom.

→ 그들은 _____ .

4 The dog is on the sofa.

→ 그 개는 _____ .

5 The cookies are delicious.

→ 그 쿠키들은 _____ .

6 She is at school.

→ 그녀는 _____ .

D 우리말에 맞게 문장을 완성하세요.

1 나는 / **있다** / 정원에.

| I | am | in the garden | .

2 책들이 / **있다** / 책상 위에.

| The books | | the desk | .

3 그는 / **있다** / 집에.

| He | | home | .

A 다음 문장을 완성하고, be동사의 알맞은 뜻에 체크하세요.

❶ | The monkey | is | in the tree | . ☐ ~이다 ☑ ~(에) 있다

❷ | They | | nurses | . ☐ ~이다 ☐ ~(에) 있다

❸ | Luna | | at the park | . ☐ (어떠)하다 ☐ ~(에) 있다

❹ | Ella and I | | in the room | . ☐ ~이다 ☐ ~(에) 있다

❺ | The cake | | delicious | . ☐ (어떠)하다 ☐ ~(에) 있다

B 우리말에 맞게 보기에서 알맞은 것을 골라 쓴 다음, 전체 문장을 다시 쓰세요.

보기   at school   in the classroom   on the table

❶ 그들은 교실에 있다.

| are | in the classroom | They | .

→ <u>They are in the classroom.</u>

❷ 내 남동생은 학교에 있다.

| brother | My | | | is | .

→ _____

❸ 바나나들이 탁자 위에 있다.

| | are | The bananas | .

→ _____

CHAPTER EXERCISE

[01~02] 다음 그림을 보고, ( ) 안에서 알맞은 것을 고르세요.

01

She (am / is) my mother.

02

Penguins (is / are) cute.

[03~04] 다음 빈칸에 들어갈 말로 알맞지 <u>않은</u> 것을 고르세요.

03

_____ is a singer.

① Nina   ② He

③ They   ④ The man

04

_____ are new.

① They   ② The bicycles

③ The books   ④ It

[05~06] 다음 빈칸에 들어갈 말로 바르게 짝지어진 것을 고르세요.

05

- It _____ a mirror.
- I _____ busy.

① is - are   ② is - am

③ is - is   ④ am - are

06

- She _____ a scientist.
- Pam and I _____ tall.

① is - are   ② is - am

③ is - is   ④ am - are

[07~09] 다음 밑줄 친 부분의 줄임말을 쓰세요.

07 <u>She is</u> a student.

→ _____ a student.

08 <u>You are</u> my grandfather.

→ _____ my grandfather.

09 <u>I am</u> a soccer player.

→ _____ a soccer player.

10 다음 빈칸에 공통으로 들어갈 말로 알맞은 것을 고르세요.

> • He _____ my father.
> • The dog _____ smart.

① am   ② is
③ are   ④ the

[11~12] 다음 중 **틀린** 문장을 고르세요.

11 ① It is a monkey.
   ② They are police officers.
   ③ The water are cold.
   ④ James is at home.

12 ① The bear is big.
   ② Amy and I are artists.
   ③ We are his friends.
   ④ Anna and Ted is busy.

[13~14] 우리말에 맞게 빈칸에 알맞은 말을 쓰세요.

13 그 드레스는 예쁘다.
→ The dress _____ pretty.

14 Jack(잭)과 나는 학생이다.
→ Jack and I _____ students.

[15~16] 다음 빈칸에 들어갈 be동사가 **다른** 것을 고르세요.

15 ① The cat _____ cute.
   ② The trees _____ tall.
   ③ The boxes _____ in my car.
   ④ Leo and Tony _____ soccer players.

16 ① Tim _____ a firefighter.
   ② The girl _____ on the stage.
   ③ The books _____ fun.
   ④ Jay _____ my little brother.

[17~20] 다음 밑줄 친 부분을 바르게 고쳐 전체 문장을 다시 쓰세요.

17 They'e good friends.
→ _____

18 Oliver and I am actors.
→ _____

19 Susie are in the classroom.
→ _____

20 Danny and Joe is my classmates.
→ _____

A 다음 ( ) 안에서 알맞은 것을 고르세요.

❶ ((We) / I) are classmates.

❷ They are (I / my) brothers.

❸ (They / It) is an apple.

❹ (She / They) is a teacher.

❺ (He / They) are firefighters.

❻ I like (your / you) sweater.

B 다음 보기에서 알맞은 것을 골라 쓴 다음, be동사의 알맞은 뜻을 고르세요.

보기	am	is	are

❶ The building ____is____ old.　　☑ (어떠)하다　☐ ~(에) 있다

❷ I _____ a singer.　　☐ ~이다　☐ ~(에) 있다

❸ My sisters _____ at home.　　☐ ~이다　☐ ~(에) 있다

❹ The balloons _____ yellow.　　☐ (어떠)하다　☐ ~(에) 있다

❺ The dog _____ on the sofa.　　☐ ~이다　☐ ~(에) 있다

C 다음 밑줄 친 부분을 바르게 고쳐 쓰세요.

❶ It <u>are</u> my umbrella.　　➔ ____is____

❷ <u>Her</u> is a police officer.　　➔ _____

❸ Noah and Tom <u>is</u> in the zoo.　　➔ _____

CHAPTER 4

be동사의
부정문과 의문문

학습 목표

UNIT 1 **be동사의 부정문**

be동사와 not을 이용하여 '~이 아니다'라는 의미를 나타낼 수 있어요.
I am not hungry.

UNIT 2 **be동사의 의문문**

be동사로 묻고 답하는 문장을 만들 수 있어요.
Are you hungry?

UNIT 1

I **am not** hungry.

Step 1  '~이 아니다'는 어떻게 나타내는지 알아볼까요?

be동사 am, are, is 뒤에 not을 써서 '~이 아니다, ~하지 않다, ~(에) 없다'라는 뜻을 나타내요.

+ 대명사 주어 + be동사 + not +

단수 (하나)			복수 (여럿)		
I	am not	a student. 학생이 아니다.	We	are not	students. 학생들이 아니다.
You(너)	are not	hungry. 배고프지 않다.	You(너희들)	are not	hungry. 배고프지 않다.
He/She	is not	in the classroom. 교실에 없다.	They	are not	in the classroom. 교실에 없다.
It	is not	a book. 책이 아니다. easy. 쉽지 않다. on the table. 테이블 위에 없다.	They	are not	books. 책들이 아니다. easy. 쉽지 않다. on the table. 테이블 위에 없다.

+ be동사 + not의 줄임말 +

I am not → I'm not	is not → isn't	are not → aren't
I'm not a police officer. 나는 경찰관이 아니다.	She **isn't** a singer. 그녀는 가수가 아니다.	They **aren't** pencils. 그것들은 연필들이 아니다.

✓체크 am not은 줄여 쓸 수 없는 것에 주의하세요. I'm not으로는 줄여 쓸 수 있어요.
I **amn't** a singer. (X) **I'm not** a singer. (O)

✓체크 '대명사 주어+be동사+not'은 다음과 같이 줄여 쓸 수도 있어요.
I'm not / We're not / You're not / She's not / He's not / It's not / They're not

A 다음 ( ) 안에서 알맞은 것을 고르세요.

❶ I (am not / not am) her sister. 나는 그녀의 여동생이 아니다.

❷ He (is not / are not) sleepy. 그는 졸리지 않다.

❸ It (is not / am not) my toy. 그것은 내 장난감이 아니다.

❹ We (is not / are not) at school. 우리는 학교에 있지 않다.

❺ She (is not / are not) a painter. 그녀는 화가가 아니다.

❻ They (am not / are not) baseball players. 그들은 야구 선수들이 아니다.

B 다음 그림을 보고, 보기에서 알맞은 것을 골라 문장을 완성하세요.

보기	is not	am not	are not

❶ He __is not__ sad.

❷ We _____ teachers.

❸ You _____ a cook.

❹ It _____ a fish.

❺ They _____ flowers.

❻ I _____ tall.

❼ She _____ angry.

❽ They _____ pilots.

❾ It _____ clean.

C 다음 문장의 밑줄 친 부분을 줄임말로 쓰세요.

1  They are not teachers. → They ___aren't___ teachers.

2 I am not happy. → _____ happy.

3 It is not an apple. → It _____ an apple.

4 He is not on the sofa. → He _____ on the sofa.

5 We are not actors. → We _____ actors.

D 우리말에 맞게 알맞은 'be동사+not'을 넣어 문장을 완성하세요.

1 나는 / **아니다** / 학생이.

| I | am not | a student |

.

2 그들은 / **않다** / 피곤하지.

| They | | tired |

.

3 그녀는 / **없다** / 집에.

| She | | at home |

.

A 알맞은 것에 체크하고, 문장을 완성하세요.

❶ | We | aren't | singers | . ☐ isn't ☑ aren't

❷ | I | | sad | . ☐ amn't ☐ am not

❸ | It | | a car | . ☐ isn't ☐ aren't

❹ | They | | bananas | . ☐ aren't ☐ isn't

❺ | He | | a pianist | . ☐ am not ☐ isn't

B 우리말에 맞게 알맞은 'be동사+not'을 넣고, 전체 문장을 다시 쓰세요.

❶ 그녀는 의사가 아니다.

| is not | a doctor | She | .

➔ <u>She is not a doctor.</u>

❷ 그것은 빠르지 않다.

| | It | fast | .

➔ _____

❸ 그들은 놀이터에 없다.

| | They | in the playground | .

➔ _____

UNIT 2

Are you hungry?

Step 1 🐊 be동사의 의문문은 어떻게 만들까요?

무언가를 물어보는 문장을 의문문이라고 해요.
be동사가 들어간 문장의 의문문은 문장의 주어와 be동사의 순서만 바꾸면 돼요.
You are hungry. → **Are you** hungry?

+ be동사의 의문문 +

> 의문문의 끝에는 물음표(?)를 꼭 써야 해요.

주어 + be동사	be동사 + 주어 ~?
You are tall. 너는 키가 크다.	**Are you** tall? 너는 키가 크니?
She is at school. 그녀는 학교에 있어.	**Is she** at school? 그녀는 학교에 있니?

+ be동사 의문문에 대한 대답: Yes/No +

	질문	Yes로 대답 (긍정) 응, 그래.	No로 대답 (부정) 아니, 그렇지 않아.
단수 (하나)	Are you(너) ~?	Yes, I **am**.	No, I'm **not**.
	Is he/she ~?	Yes, he/she **is**.	No, he/she **isn't**.
	Is it ~?	Yes, it **is**.	No, it **isn't**.
복수 (여럿)	Are we ~?	Yes, you **are**.	No, you **aren't**.
	Are you(너희들) ~?	Yes, we **are**.	No, we **aren't**.
	Are they ~?	Yes, they **are**.	No, they **aren't**.

✔체크 No로 대답할 때는 'be동사+not'의 줄임말을 쓰지만, Yes로 대답할 때는 줄임말을 쓰지 않아요.
Yes, **he's**. (X) No, he **isn't**. (O)

A 다음 주어진 문장을 의문문으로 바꿀 때, 빈칸에 알맞은 말을 쓰세요.

❶ She is a singer. 그녀는 가수이다.

→ ____Is____ ____she____ a singer? 그녀는 가수니?

❷ You are a nurse. 당신은 간호사이다.

→ _____ _____ a nurse? 당신은 간호사인가요?

❸ They are penguins. 그것들은 펭귄들이다.

→ _____ _____ penguins? 그것들은 펭귄들이니?

❹ It is my bike. 그것은 내 자전거이다.

→ _____ _____ your bike? 그것은 네 자전거니?

❺ We are late. 우리는 늦었다.

→ _____ _____ late? 우리가 늦었니?

❻ He is a basketball player. 그는 농구선수이다.

→ _____ _____ a basketball player? 그는 농구선수니?

❼ They are at the museum. 그들은 박물관에 있다.

→ _____ _____ at the museum? 그들은 박물관에 있니?

B 다음 그림을 보고, 알맞은 대답을 고르세요.

❶ Q Are they rabbits?

A ☐ Yes, they are.
☑ No, they aren't.

❷ Q Is it a desk?

A ☐ Yes, it is.
☐ No, it isn't.

❸ Q Is he a firefighter?

A ☐ Yes, he is.
☐ No, he isn't.

❹ Q Are you a cook?

A ☐ Yes, I am.
☐ No, I'm not.

C 다음 질문에 대한 대답을 완성해 보세요.

❶ **Q** Is he your grandfather? 그분은 네 할아버지니?

A Yes, ___he___ ___is___ . / No, ___he___ ___isn't___ .

❷ **Q** Are they dancers? 그들은 무용수들인가요?

A Yes, _____ _____ . / No, _____ _____ .

❸ **Q** Is she a bus driver? 그녀는 버스 운전사인가요?

A Yes, _____ _____ . / No, _____ _____ .

❹ **Q** Are you sleepy? 너는 졸리니?

A Yes, _____ _____ . / No, _____ _____ .

❺ **Q** Is it on the chair? 그것은 의자 위에 있니?

A Yes, _____ _____ . / No, _____ _____ .

❻ **Q** Are they apple trees? 그것들은 사과나무들이니?

A Yes, _____ _____ . / No, _____ _____ .

D 우리말에 맞게 알맞은 be동사와 대명사를 넣어 문장을 완성하세요.

❶ <u>인가요</u> / <u>당신은</u> / 과학자?

Are | you | a scientist | ?

❷ <u>있나요</u> / <u>그녀는</u> / 방에?

_____ | _____ | in the room | ?

❸ <u>인가요</u> / <u>그들은</u> / 농부들?

_____ | _____ | farmers | ?

A 알맞은 것에 체크하고, 대화를 완성하세요.

❶ Q Are │ they │ │ singers │ ?   ☐ Is   ☑ Are

A │ No │, they aren't .

❷ Q   │ it │ │ a rose │ ?   ☐ Is   ☐ Are

A │ No │,   .

❸ Q   │ you │ │ a painter │ ?   ☐ Are ☐ Is

A │ Yes │,   .

B 우리말에 맞게 보기에서 알맞은 단어를 골라 쓴 다음, 전체 문장을 다시 쓰세요.

| 보기 | he | she | they | is | are |

❶ 그는 간호사니?

│ ? │ │ a nurse │ ┊ Is he ┊

➡ Is he a nurse?

❷ 그것들은 원숭이들이니?

│ monkeys │ ┊   ┊ │ ? │

➡ _____

❸ 그녀는 화가 났니?

│ ? │ │ angry │ ┊   ┊

➡ _____

[01~03] 다음 그림을 보고, ( ) 안에서 알맞은 것을 고르세요.

01

He (is / is not) happy.

02

They (are / aren't) peaches.

03

It (aren't / isn't) a boat.

[04~06] 다음 ( ) 안에서 알맞은 것을 고르세요.

04 (Are you / You are) a painter?
당신은 화가인가요?

05 (It is / Is it) your cap?
그것은 네 야구모자니?

06 (Is he / Are he) tall?
그는 키가 크니?

[07~08] 다음 빈칸에 들어갈 말로 알맞은 것을 고르세요.

07

> **Q** Is it a guitar?
> **A** No, _____.

① it is   ② they are
③ it isn't   ④ they aren't

08

> **Q** Are you a dentist?
> **A** Yes, _____.

① you are   ② you aren't
③ I am   ④ I'm not

[09~10] 다음 중 틀린 문장을 고르세요.

09 ① We aren't busy.
② I amn't his sister.
③ I'm not a writer.
④ She isn't at school.

10 ① Is it a bag?
② Are they fruits?
③ Is he a teacher?
④ Are she your friend?

11 다음 빈칸에 들어갈 말이 바르게 짝지어 진 것을 고르세요.

> • _____ they cats?
> • He _____ not my teacher.

① Are - are   ② Is - are

③ Is - am   ④ Are - is

[12~14] 다음 그림을 보고, 알맞은 'be동사 +not'의 줄임말을 쓰세요.

12  We _____ sad.

13  They _____ chairs.

14  It _____ a cup.

[15~16] 다음 문장을 괄호 안의 지시대로 바꿔 쓰세요.

15 He is a cook.

→ (부정문) _____

_____

16 They are tigers.

→ (의문문) _____

_____

[17~18] 다음 그림을 보고 알맞은 대화를 완성 하세요.

17

Q _____ they on the table?

A Yes, _____ _____ .

18

Q _____ you a musician?

A No, _____ _____ .

[19~20] 우리말에 맞게 주어진 말을 바르게 배열하세요.

19 그는 네 남동생이니?

| brother | ? | he | is | your |

→ _____

20 당신은 마술사가 아니다.

| a magician | not | you | are |

→ _____

REVIEW

A 다음 ( ) 안에서 알맞은 것을 고르세요.

① She ((is) / are) my friend. ② They (is / are) famous.

③ (Is / Are) you cold? ④ Brian and I (am / are) tall.

⑤ A cup (is / are) on the table. ⑥ He (isn't / aren't) a student.

B 우리말에 맞게 보기에서 알맞은 것을 골라 문장을 완성하세요.

| 보기 | is | are | isn't | aren't |

① Her hair _____is_____ long. 그녀의 머리카락은 길다.

② We _____ tired. 우리는 피곤하지 않다.

③ Sue and Jenny _____ nurses. 수와 제니는 간호사들이다.

④ My brother _____ at the cafe. 내 남동생은 카페에 없다.

⑤ _____ they pumpkins? 그것들은 호박들인가요?

C 다음 밑줄 친 부분을 바르게 고쳐 쓰세요.

① Is we late? → _____Are_____

② It is your gift? → _____

③ We not are soccer players. → _____

CHAPTER 5

지시대명사
(this/that, these/those)

학습 목표

UNIT 1 **This와 That**

하나의 대상을 가리킬 때 알맞은 지시대명사를 쓸 수 있어요.
This is a car.

UNIT 2 **These와 Those**

여러 개의 대상을 가리킬 때 알맞은 지시대명사를 쓸 수 있어요.
These are cars.

UNIT 1

This와 That

This is a car.

지시대명사가 무엇인지 알아볼까요?

This는 가까이 있는 것, That은 멀리 있는 것을 가리킬 때 사용해요.
This와 That은 특정한 사람, 동물, 장소, 사물을 가리키는 말이어서 '지시대명사'라고 해요.

＋ This와 That ＋

This (이것, 이 사람)	That (저것, 저 사람)
This is an apple. 이것은 사과야.	**That is an apple.** 저것은 사과야.
This is a cat. 이것은 고양이야.	**That is a cat.** 저것은 고양이야.
This is my sister. 이 아이는 내 여동생이야.	**That is my sister.** 저 아이는 내 여동생이야.

＋ This/That + is ~. ＋

This is (a/an) ~.	That is (a/an) ~.
This is a pencil. 이것은 연필이야.	**That is a** pencil. 저것은 연필이야.
This is an umbrella. 이것은 우산이야.	**That is an** umbrella. 저것은 우산이야.
This is apple juice. 이것은 사과주스야.	**That is** apple juice. 저것은 사과주스야.
This is my brother. 이 아이는 내 남동생이야.	**That's** my brother. 저 아이는 내 남동생이야. = That is

> 소유를 나타내는 대명사(my 등) 앞에는 a나 an이 올 수 없어요.

✔ 체크 This와 That 모두 '한 개, 한 사람'을 가리키므로 뒤에 be동사 is가 와요.
그리고 is 뒤에는 'a/an+명사의 단수형' 또는 셀 수 없는 명사가 쓰여요.

✔ 체크 That is는 줄여서 That's로 쓸 수 있지만, This is는 줄여 쓸 수 없어요.
This's (X)

A 다음 그림에 알맞은 지시대명사를 연결하세요.

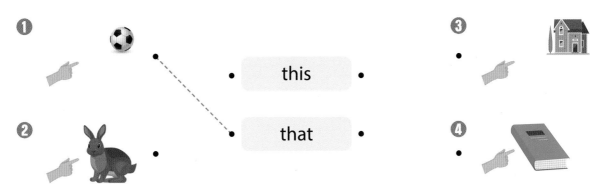

① ● this ③
② ● that ④

B 다음 밑줄 친 지시대명사의 알맞은 우리말 뜻을 고르세요.

① <u>This</u> is an orange. ☑ 이것 ☐ 저것

② <u>That</u> is his sweater. ☐ 이것 ☐ 저것

③ <u>This</u> is a dentist. ☐ 이 사람 ☐ 저 사람

④ <u>That</u> is my mother. ☐ 이 사람 ☐ 저 사람

C 다음 그림을 보고, 알맞은 지시대명사를 고르세요.

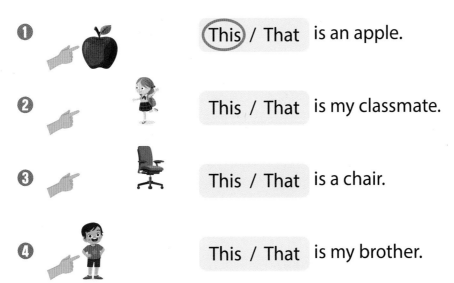

① (This) / That is an apple.

② This / That is my classmate.

③ This / That is a chair.

④ This / That is my brother.

D 우리말에 맞게 ( ) 안에서 알맞은 것을 고르세요.

❶ ((This) / That) is a lamp.   이것은 램프이다.

❷ (This / That) is a firefighter.   저 사람은 소방관이다.

❸ (This / That) is my grandma.   이분은 나의 할머니이다.

❹ (This / That) is a duck.   이것은 오리이다.

❺ (This / That) is her bike.   저것은 그녀의 자전거이다.

❻ (This / That) is his house.   이것은 그의 집이다.

E 다음 그림을 보고, 빈칸에 알맞은 '지시대명사+be동사'를 쓰세요.

❶ ___That___ ___is___ my sister.

❷ _____ _____ my dog.

❸ _____ _____ my violin.

❹ _____ _____ my cousin.

❺ _____ _____ her umbrella.

❻ _____ _____ my bed.

A 다음 그림을 보고 알맞은 것에 체크한 다음, 문장을 완성하세요.

❶ This | is | my sister . ☑ This ☐ That

❷ | is | my school . ☐ This ☐ That

❸ | is | an ant . ☐ This ☐ That

❹ | is | his cap . ☐ This ☐ That

B 우리말에 맞게 알맞은 단어를 넣고, 전체 문장을 다시 쓰세요.

❶ 저것은 그의 연필이다.

is | his | That | pencil .

→ _That is his pencil._

❷ 이 아이는 내 친구이다.

friend | is | [   ] | my .

→ _____

❸ 저분은 나의 삼촌이다.

uncle | is | my | [   ] .

→ _____

❹ 이것은 장미이다.

a rose | [   ] | is .

→ _____

UNIT 2

These와 Those

These are cars.

Step 1 여러 대상을 가리킬 때는 어떤 지시대명사를 사용할까요?

This와 That은 하나의 대상을 가리킬 때 사용하고, 여러 대상을 가리킬 때는 These와 Those를 사용해요.
These는 '이것들, 이 사람들'을 뜻하고, Those는 '저것들, 저 사람들'을 뜻해요.

+ These와 Those+

This ↓ These (이것들, 이 사람들)	That ↓ Those (저것들, 저 사람들)
These are apples. 이것들은 사과들이다.	**Those** are apples. 저것들은 사과들이다.
These are cats. 이것들은 고양이들이다.	**Those** are cats. 저것들은 고양이들이다.
These are my sisters. 이 아이들은 내 여동생들이야.	**Those** are my sisters. 저 아이들은 내 여동생들이야.

+ These/Those + are ~. +

These are + 명사의 복수형	Those are + 명사의 복수형
These are pencils. 이것들은 연필들이다.	**Those** are pencils. 저것들은 연필들이다.
These are umbrellas. 이것들은 우산들이다.	**Those** are umbrellas. 저것들은 우산들이다.
These are my friends. 이 아이들은 내 친구들이야.	**Those** are my friends. 저 아이들은 내 친구들이야.

 체크 These와 Those 모두 '여러 개, 여러 사람'을 가리키므로 뒤에 be동사 are가 와요.
그리고 are 뒤에는 당연히 명사의 복수형이 쓰여요.

A 다음 그림에 알맞은 지시대명사를 연결하세요.

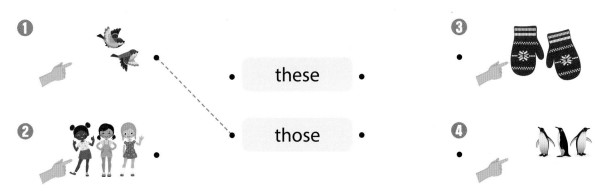

B 다음 밑줄 친 지시대명사의 알맞은 우리말 뜻을 고르세요.

❶ <u>Those</u> are chickens.　　　☐ 이것들　　☑ 저것들

❷ <u>These</u> are police officers.　☐ 이 사람들　☐ 저 사람들

❸ <u>Those</u> are her friends.　　　☐ 이 사람들　☐ 저 사람들

❹ <u>These</u> are his socks.　　　☐ 이것들　　☐ 저것들

C 다음 그림을 보고, 알맞은 지시대명사를 고르세요.

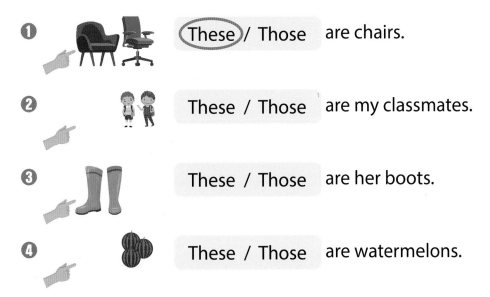

❶ (These) / Those　are chairs.

❷ These / Those　are my classmates.

❸ These / Those　are her boots.

❹ These / Those　are watermelons.

D 우리말에 맞게 밑줄 친 부분을 바르게 고쳐 쓰세요.

1 <u>These</u> are my uncles.
저분들은 내 삼촌들이다.
→ _____Those_____

2 <u>Those</u> are boxes.
이것들은 상자들이다.
→ _____

3 <u>This</u> are flowers.
이것들은 꽃들이다.
→ _____

4 <u>These</u> are ostriches.
저것들은 타조들이다.
→ _____

5 <u>Those</u> are his brothers.
이 사람들은 그의 형들이다.
→ _____

6 <u>That</u> are her cats.
저것들은 그녀의 고양이들이다.
→ _____

E 다음 그림을 보고, 빈칸에 알맞은 '지시대명사+be동사'를 쓰세요.

1

Those _are_ soccer balls.

2

_____ _____ frogs.

3
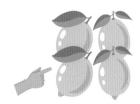
_____ _____ her sisters.

4

_____ _____ carrots.

5

_____ _____ lemons.

6

_____ _____ my friends.

A 다음 그림을 보고 알맞은 것에 체크한 다음, 문장을 완성하세요.

❶ These are dogs . ☑ These ☐ Those

❷ _____ are my brothers . ☐ These ☐ Those

❸ _____ are gloves . ☐ These ☐ Those

❹ _____ are tomatoes . ☐ These ☐ Those

B 우리말에 맞게 알맞은 단어를 넣고, 전체 문장을 다시 쓰세요.

❶ 저것들은 내 사진들이다.

my | Those | pictures | are .

→ Those are my pictures.

❷ 이 사람들은 내 사촌들이다.

are | _____ | cousins | my .

→ _____

❸ 저분들은 내 부모님이다.

parents | my | _____ | are .

→ _____

❹ 이것들은 그녀의 양말이다.

socks | are | her | _____ .

→ _____

01 다음 중 지시대명사와 우리말이 <u>잘못</u> 짝지어진 것을 고르세요.

① this – 이것　　② these – 이 사람

③ those – 저것들　④ that – 저 사람

02 다음 빈칸에 This 또는 That이 들어갈 수 <u>없는</u> 것을 고르세요.

① _____ is a house.

② _____ is my grandpa.

③ _____ are penguins.

④ _____ is an orange.

[03~05] 다음 그림을 보고, ( ) 안에서 알맞은 것을 고르세요.

03

(That / This) is my bike.

04

(Those / These) are flowers.

05

(This / That) is his grandma.

[06~09] 다음 그림을 보고, 빈칸에 알맞은 말을 보기에서 골라 쓰세요.

<보기>　this　that　these　those

06

_____ are umbrellas.

07

_____ is my brother.

08

_____ is a rabbit.

09

_____ are my classmates.

[10~12] 다음 그림을 보고, 알맞은 문장을 고르세요.

10

☐ That is a boat.
☐ Those are boats.

11

☐ This is my sister.
☐ These are my sisters.

12

☐ Those are my dogs.
☐ These are my dogs.

[13~15] 우리말에 맞게 빈칸에 알맞은 말을 쓰세요.

13 저것들은 그의 책들이다.

→ _____ _____ his books.

14 이 사람은 나의 형이다.

→ _____ _____ my brother.

15 이것들은 양초들이다.

→ _____ _____ candles.

[16~18] 다음 ( ) 안에서 알맞은 것을 고르세요.

16 This (is / are) a pencil.

These are (a pencil / pencils).

17 That is (a bike / bikes).

(That / Those) are bikes.

18 (That / Those) is my teacher.

Those (is / are) my teachers.

[19~20] 다음 보기와 같이 주어진 문장을 복수형 문장으로 바꿔 쓰세요.

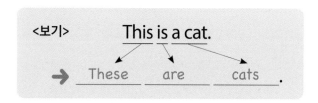

<보기> This is a cat.

→ _These_ _are_ _cats_ .

19 This is a cap.

→ _____ _____ _____.

20 That is a duck.

→ _____ _____ _____.

REVIEW

A 다음 ( ) 안에서 알맞은 것을 고르세요.

❶ It ((is not) / are not) on the tree.　❷ (Is / Are) they rabbits?

❸ They (isn't / aren't) hungry.　❹ (Is she / She is) a pianist?

❺ (Is / Are) he at home?　❻ I (not am / am not) lazy.

B 우리말에 맞게 보기에서 알맞은 것을 골라 문장을 완성하세요.

보기	this　　that　　these　　those　　is　　are

❶ ___That___ ___is___ a library.　저것은 도서관이다.

❷ _____ _____ his pencils.　이것들은 그의 연필들이다.

❸ _____ _____ bears.　저것들은 곰들이다.

❹ _____ _____ my aunt.　이분은 제 이모예요.

C 우리말에 맞게 보기에서 알맞은 것을 골라 문장을 완성하세요.

보기	he　　they　　is　　are　　isn't　　aren't

❶ ___Is___ ___he___ a teacher?　그는 선생님이니?

❷ She _____ in the classroom.　그녀는 교실에 없다.

❸ _____ _____ tired?　그들은 피곤하니?

❹ We _____ soccer players.　우리는 축구선수가 아니다.

CHAPTER 6

일반동사

학습 목표

UNIT 1 · I **like** dogs.

Step 1 🐢 일반동사가 무엇인지 알아볼까요?

동사는 크게 be동사와 일반동사로 나누어져요.
일반동사는 주로 '가다, 읽다' 등과 같이 주어의 행동을 설명해주며,
'좋아하다, 알다'처럼 주어의 감정이나 생각도 나타낼 수 있어요.

✛ be동사와 일반동사 ✛

be동사 (~이다)	일반동사 (~하다)
am, are, is 주어가 무엇인지, 누구인지, 어떤 상태인지 설명해요.	**go, eat, have, read, like, play ...** 주어의 동작을 나타내요.
They are books. 그것들은 책이다.	**I read books.** 나는 책을 읽는다.

✔ 체크 한 문장 안에 be동사와 일반동사를 함께 쓸 수 없어요.
I am have a dog. (X) I have a dog. (O)

✛ 자주 쓰는 일반동사 ✛

> 일반동사 하나가
> 여러 뜻을 가지고 있기도 해요.

have	have a bag have lunch	가방을 가지고 있다 점심을 먹다	play	play baseball play in the park play the piano	야구를 하다 공원에서 놀다 피아노를 연주하다
do	do homework do taekwondo	숙제를 하다 태권도를 하다	take	take a bus take a walk	버스를 타다 산책하다
go	go to school	학교에 가다	eat	eat pizza	피자를 먹다
come	come home	집에 오다	wash	wash my hands	내 손을 씻다
make	make a cake	케이크를 만들다	sleep	sleep at night	밤에 자다
cook	cook dinner	저녁을 요리하다	work	work at a zoo	동물원에서 일하다
ride	ride a bike	자전거를 타다	study	study English	영어를 공부하다
read	read a book	책을 읽다	teach	teach math	수학을 가르치다
watch	watch TV	TV를 보다	like	like a cat	고양이를 좋아하다

A 다음 문장에서 동사에 동그라미하세요.

❶ They (play) soccer. 그들은 축구를 **한다**.

❷ We walk to school. 우리는 학교에 **걸어간다**.

❸ I drink orange juice. 나는 오렌지 주스를 **마신다**.

❹ Children like chocolate. 아이들은 초콜릿을 **좋아한다**.

❺ The students study English. 학생들이 영어를 **공부한다**.

❻ Elephants have long noses. 코끼리들은 긴 코를 **가지고 있다**.

B 다음 그림을 보고, ( ) 안에서 알맞은 것을 고르세요.

❶  We ((swim) / run) in the pool. 우리는 수영장에서 수영한다.

❷  They (buy / fly) kites. 그들은 연을 날린다.

❸  I (watch / play) TV. 나는 TV를 본다.

❹  They (sleep / work) at a zoo. 그들은 동물원에서 일한다.

❺  The kids (wash / make) masks. 아이들이 가면을 만든다.

C 우리말에 맞게 보기에서 알맞은 단어를 골라 빈칸에 쓰세요.

보기　　live　　read　　play　　have　　like

❶ They ___play___ basketball.　　　　그들은 농구를 한다.

❷ You _____ chicken.　　　　　　너는 닭고기를 좋아한다.

❸ The boys _____ comic books.　그 남자아이들은 만화책을 읽는다.

❹ My cousins _____ in Busan.　　내 사촌들은 부산에 산다.

❺ The students _____ lunch.　　학생들이 점심식사를 한다.

D 다음 그림을 보고, 보기에서 알맞은 단어를 골라 빈칸에 쓰세요.

보기　　clean　　swim　　draw　　eat　　make　　watch

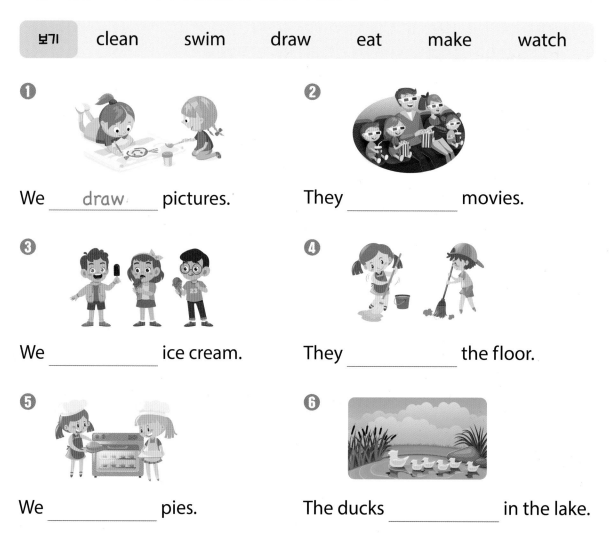

❶ We ___draw___ pictures.

❷ They _____ movies.

❸ We _____ ice cream.

❹ They _____ the floor.

❺ We _____ pies.

❻ The ducks _____ in the lake.

A 다음 그림을 보고 알맞은 것에 체크한 다음, 문장을 완성하세요.

❶ [They] [do] [taekwondo] . ☐ jump ☑ do

❷ [I] [　] [the drums] . ☐ play ☐ make

❸ [The girls] [　] [books] . ☐ read ☐ buy

❹ [We] [　] [bikes] . ☐ drink ☐ ride

B 우리말에 맞게 보기에서 알맞은 단어를 골라 쓴 다음, 전체 문장을 다시 쓰세요.

보기　love　　sing　　need

❶ 너는 지우개가 필요하다.

[need] [You] [an eraser] .

→ You need an eraser.

❷ 개구리들이 노래를 부른다.

[a song] [　] [The frogs] .

→ _____

❸ 내 친구들은 내 고양이를 아주 좋아한다.

[my cat] [My friends] [　] .

→ _____

UNIT 2

She **goes** to school.

Step 1 🐢 주어가 3인칭 단수일 때 동사의 모양은 어떻게 바뀔까요?

일반동사는 주어에 따라 동사의 형태가 바뀌어요.
주어가 3인칭 단수일 때는 동사의 뒤에 -s 또는 -es를 붙여야 해요.

✛ 일반동사 ✛

주어가 I / You / We / They 또는 복수 명사일 때	주어가 He / She / It 또는 단수 명사일 때 = 3인칭 단수 주어
동사 모양 그대로	대부분 동사 뒤에 + -s
We **play** basketball. 우리는 농구를 한다.	He **plays** basketball. 그는 농구를 한다.
The kids **ride** bikes. 그 아이들은 자전거를 탄다.	The girl **rides** a bike. 그 여자아이는 자전거를 탄다.

✔ 체크 3인칭이란 나(I)와 너(you)를 제외한, 또 다른 사람을 말해요.
단수는 사람 한 명, 동물 한 마리 또는 사물 한 개를 의미해요.

✛ 일반동사의 3인칭 단수형 ✛

대부분의 동사	+ -s	like → likes 좋아하다 run → runs 달리다 eat → eats 먹다 play → plays 놀다, 하다	read → reads 읽다 swim → swims 수영하다 drink → drinks 마시다 buy → buys 사다
-s, -sh, -ch, -x, -o로 끝나는 동사	+ -es	pass → passes 패스하다 watch → watches 보다 do → does 하다	wash → washes 씻다 fix → fixes 고치다 go → goes 가다
'자음+y'로 끝나는 동사	y를 i로 고치고 + -es	cry → cries 울다 study → studies 공부하다	fly → flies 날다
have	has	have → has 가지고 있다, 먹다	

A 다음 동사의 3인칭 단수형으로 알맞은 것을 고르세요.

❶ speak   ((speaks) / speakes)

❷ wash   (washs / washes)

❸ have   (has / haves)

❹ go   (gos / goes)

❺ fly   (flys / flies)

❻ pass   (passes / passies)

B 다음 그림을 보고, ( ) 안에서 알맞은 것을 고르세요.

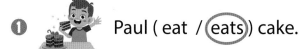 ❶ Paul (eat / (eats)) cake.   폴은 케이크를 먹는다.

 ❷ I (cook / cooks) breakfast.   나는 아침을 요리한다.

 ❸ She (teach / teaches) math.   그녀는 수학을 가르친다.

 ❹ They (have / has) gray hair.   그들은 흰머리를 가지고 있다.

 ❺ My sister (go / goes) to high school.   내 언니는 고등학교에 다닌다.

C

다음 그림을 보고, 주어진 단어를 빈칸에 알맞은 형태로 쓰세요.

❶  The cat ___catches___ fish. (catch)

❷  The girl _____ songs. (sing)

❸  Daniel _____ to the shop. (go)

❹  Her brother _____ the dishes. (wash)

❺  Kate _____ soccer. (play)

❻  She _____ a map. (have)

D

다음 밑줄 친 부분을 바르게 고쳐 쓰세요.

❶ We <u>wants</u> a house.   → ___want___

❷ The bears <u>eats</u> fish.   → _____

❸ Oliver <u>clean</u> his room.   → _____

❹ The man <u>fixs</u> the computers.   → _____

❺ The baby <u>crys</u>.   → _____

❻ My grandfather <u>watch</u> TV.   → _____

A 알맞은 것에 체크하고, 문장을 완성하세요.

❶ [She] brushes [her hair] . ☐ brush ☑ brushes

❷ [He] [ ] [his homework] . ☐ do ☐ does

❸ [Mike] [ ] [math] . ☐ studys ☐ studies

❹ [The girls] [ ] [a cute dog] . ☐ have ☐ has

❺ [Elly] [ ] [the robot] . ☐ fixes ☐ fixs

B 우리말에 맞게 보기에서 알맞은 단어를 골라 바꿔 쓴 다음, 전체 문장을 다시 쓰세요.

| 보기 | have | wash | write |

❶ Leo(레오)는 손을 씻는다.

[washes] [Leo] [his hands] .

→ Leo washes his hands.

❷ Cindy(신디)는 편지를 쓴다.

[letters] [ ] [Cindy] .

→ _____

❸ 나의 이모는 차를 가지고 계신다.

[a car] [ ] [My aunt] .

→ _____

01 다음 중 일반동사가 <u>아닌</u> 것을 고르세요.

① take   ② go

③ are   ④ eat

[02~04] 다음 중 동사원형과 3인칭 단수형이 잘못 짝지어진 것을 고르세요.

02 ① cry - cries

② like - likes

③ buy - buys

④ eat - eates

03 ① wash - washes

② catch - catchs

③ have - has

④ ask - asks

04 ① fly - flys

② watch - watches

③ push - pushes

④ love - loves

05 다음 중 3인칭 단수형을 만드는 방법이 <u>다른</u> 것을 고르세요.

① fix   ② do

③ read   ④ finish

[06~07] 다음 그림을 보고, ( ) 안에서 알맞은 것을 고르세요.

06

Sally (study / studies) English.

07

The boy (run / runs) to the bus.

[08~09] 다음 빈칸에 들어갈 말로 알맞은 것을 고르세요.

08

_____ play the piano.

① Kate   ② You

③ The man   ④ My sister

09

His mother _____ a car.

① is   ② are

③ drive   ④ drives

10 다음 중 밑줄 친 부분이 잘못된 것을 고르세요.

① Sam <u>flies</u> a kite.

② Jason <u>watches</u> TV.

③ She <u>help</u> her teacher.

④ Mom <u>washes</u> her hands.

11 다음 빈칸에 들어갈 말로 알맞지 <u>않은</u> 것을 고르세요.

> The kid _____ ice cream.

① likes　　② eats

③ loves　　④ want

[12~13] 다음 ( ) 안에서 알맞은 것을 고르세요.

12 Amy and I (go / goes) shopping.

13 Mr. Bennet (teach / teaches) math.

14 다음 빈칸에 들어갈 말이 바르게 짝지어진 것을 고르세요.

> • Jamie _____ a sister.
> • They _____ Japanese.

① have - speak　② has - speak

③ are - speaks　④ has - speaks

[15~18] 다음 그림을 보고, 주어진 단어를 빈칸에 알맞은 형태로 쓰세요.

15

Jackson _____ his face. (wash)

16

They _____ on a picnic. (go)

17

Lisa _____ a sister. (have)

18

The store _____ fruits. (sell)

[19~20] 다음 밑줄 친 부분을 바르게 고쳐 쓰세요.

19 He <u>drink</u> orange juice.

→ _____

20 Mike and I <u>goes</u> to the movie.

→ _____

REVIEW

A 다음 ( ) 안에서 알맞은 것을 고르세요.

❶ He (do / (does)) his homework.　❷ Tom (walk / walks) to school.

❸ Dad (watchs / watches) TV.　❹ These (is / are) my shoes.

❺ They (drink / drinks) juice.　❻ (That / Those) is a camera.

B 우리말에 맞게 보기에서 알맞은 것을 골라 문장을 완성하세요.

보기	play	likes	reads	is	are

❶ She ____is____ my teacher.　　　그녀는 내 선생님이다.

❷ I _____ soccer.　　　나는 축구를 한다.

❸ They _____ students.　　　그들은 학생들이다.

❹ My brother _____ roses.　　　내 남동생은 장미를 좋아한다.

❺ Jane _____ books.　　　제인은 책을 읽는다.

C 다음 밑줄 친 부분을 바르게 고쳐 쓰세요.

❶ We swims in the pool.　→ ____swim____

❷ She have lunch at 12 o'clock.　→ _____

❸ My mom washs the dishes.　→ _____

CHAPTER 7

일반동사의
부정문과 의문문

학습 목표

UNIT 1 **일반동사의 부정문**

do와 does를 이용하여 '~하지 않다'라는 의미를 나타낼 수 있어요.

I **do not like** carrots.

UNIT 2 **일반동사의 의문문**

do와 does를 이용하여 일반동사로 묻고 답하는 문장을 만들 수 있어요.

Does she like cats?

UNIT 1

일반동사의 부정문

I **do not like** carrots.

Step 1 '~하지 않다'는 어떻게 나타내는지 알아볼까요?

일반동사의 부정은 일반동사의 '앞'에 do not 또는 does not을 넣어 '~하지 않다'라는 의미를 나타내요.
이때 do not이나 does not 뒤에는 반드시 동사의 원래 모양을 써야 해요.

+ do/does + not + 동사의 원래 모양 +

주어가 I / You / We / They 또는 복수 명사일 때	주어가 He / She / It 또는 단수 명사일 때 = 3인칭 단수 주어
do not + 동사원형	**does not + 동사원형**

I **like** hamburgers.
나는 햄버거를 좋아한다.
→ I **do not like** hamburgers.
나는 햄버거를 좋아하지 않는다.

She **likes** cats.
그녀는 고양이를 좋아한다.
→ She **does not like** cats.
그녀는 고양이를 좋아하지 않는다.

> 3인칭 단수 주어의 동사에 붙어 있던 -s는 사라지고 원래 모양이 돼요.

Jess and I **have** umbrellas.
제스와 나는 우산을 가지고 있다.
→ Jess and I **do not have** umbrellas.
제스와 나는 우산을 가지고 있지 않다.

Tommy **has** a camera.
토미는 카메라를 가지고 있다.
→ Tommy **does not have** a camera.
토미는 카메라를 가지고 있지 않다.

✅ 체크 동사원형은 동사의 원래 모양을 말해요. 동사에 -s나 -es가 붙지 않아요.

✅ 체크 주어가 3인칭 단수일 때 동사는 has이지만, does not 뒤에는 동사의 원래 모양인 have를 쓰는 것에 주의하세요.

+ do/does + not의 줄임말 +

do not → don't	**does not → doesn't**
They **don't** have a tent. 그들은 텐트를 가지고 있지 않다.	My cat **doesn't** have a bell. 내 고양이는 방울이 없다.

A 우리말에 맞게 ( ) 안에서 알맞은 것을 고르세요.

❶ Tim ((swims) / does not swim) in the pool. 팀은 수영장에서 수영한다.

❷ Sara (eats / does not eat) meat. 사라는 고기를 먹지 않는다.

❸ My friend (wears / does not wear) glasses. 내 친구는 안경을 쓰지 않는다.

❹ She (cleans / does not clean) her room. 그녀는 그녀의 방을 청소한다.

❺ They (watch / do not watch) TV. 그들은 TV를 보지 않는다.

❻ My cousin (lives / does not live) in Seoul. 내 사촌은 서울에 산다.

B 다음 주어진 주어에 맞게 빈칸에 do 또는 does를 쓰세요.

❶ I have → I ___do___ not have

❷ He plays → He _____ not play

❸ She likes → She _____ not like

❹ They eat → They _____ not eat

❺ It has → It _____ not have

❻ We go → We _____ not go

❼ Rick studies → Rick _____ not study

❽ My sister runs → My sister _____ not run

❾ His friends ride → His friends _____ not ride

❿ My grandma watches → My grandma _____ not watch

C 다음 그림을 보고, 주어진 단어를 이용하여 빈칸에 알맞은 말을 쓰세요.

1  **2**   **3**

4 **5** **6**

❶ He ___doesn't___ ___eat___ soup. (eat)

❷ You _____ _____ an umbrella. (need)

❸ James _____ _____ his homework. (do)

❹ We _____ _____ basketball. (play)

❺ The dog _____ _____ big ears. (have)

❻ My brother _____ _____ to music. (listen)

D 다음 ( ) 안에서 알맞은 것을 고르세요.

❶ They (don't / doesn't) take a taxi.

❷ Erica (don't / doesn't) eat fish.

❸ My mom doesn't (drink / drinks) coffee.

❹ Jake (don't / doesn't) get up early.

❺ My sister doesn't (play / plays) the piano.

❻ Ms. Dean (not does / does not) have breakfast.

A 알맞은 것에 체크하고, 문장을 완성하세요.

❶ [I] [don't] [watch TV] . ☑ don't ☐ doesn't

❷ [My cat] [ ] [swim] . ☐ don't ☐ doesn't

❸ [They] [ ] [play soccer] . ☐ don't ☐ doesn't

❹ [Brian] [ ] [like apples] . ☐ don't ☐ doesn't

❺ [The girls] [ ] [study Chinese] . ☐ don't ☐ doesn't

B 우리말에 맞게 don't 또는 doesn't를 넣고, 전체 문장을 다시 쓰세요.

❶ 그는 커피를 마시지 않는다.

[drink coffee] [He] [doesn't] .

→ He doesn't drink coffee. _____

❷ 우리는 안경을 쓰지 않는다.

[ ] [wear glasses] [We] .

→ _____

❸ 그 가게는 과일을 팔지 않는다.

[The shop] [sell fruits] [ ] .

→ _____

Does she like cats?

Step 1 일반동사의 의문문은 어떻게 만들까요?

일반동사가 있는 문장의 의문문은 주어 '앞'에 Do 또는 Does를 써요.
이때 「주어+동사」의 순서는 바뀌지 않고, 동사는 반드시 원래 모양을 써야 해요.

+ Do/Does + 주어 + 동사의 원래 모양 ~? +

주어가 I / you / we / they 또는 복수 명사일 때	주어가 he / she / it 또는 단수 명사일 때 = 3인칭 단수 주어
Do + 주어 + 동사원형 ~?	Does + 주어 + 동사원형 ~?
They like fish. 그것들은 생선을 좋아한다. → **Do they like fish?** 그것들은 생선을 좋아하니?	**He likes dogs.** 그는 개를 좋아한다. → **Does he like dogs?** 그는 개를 좋아하니?
The kids have books. 그 아이들은 책들이 있다. → **Do the kids have books?** 그 아이들은 책들이 있니?	**Lina has a brother.** 리나는 남동생이 있다. → **Does Lina have a brother?** 리나는 남동생이 있니?

✔ 체크 일반동사의 의문문에서 주어 뒤에 오는 동사는 꼭 원래 모양을 쓴다는 것을 기억하세요.

> has는 동사원형
> have로 바뀌어요.

+ 일반동사 의문문에 대한 대답: Yes/No +

	질문	Yes로 대답 (긍정) 응, 그래.	No로 대답 (부정) 아니, 그렇지 않아.
단수 (하나)	Do you(너) ~?	Yes, I do.	No, I don't.
	Does he/she ~?	Yes, he/she does.	No, he/she doesn't.
	Does it ~?	Yes, it does.	No, it doesn't.
복수 (여럿)	Do you(너희들) ~?	Yes, we do.	No, we don't.
	Do they ~?	Yes, they do.	No, they don't.

A 다음 주어진 주어에 맞게 빈칸에 Do 또는 Does를 쓰세요.

① He has a sister.   → __Does__ **he** have a sister?

② You walk to school.   → _____ **you** walk to school?

③ She lives in Korea.   → _____ **she** live in Korea?

④ They speak English.   → _____ **they** speak English?

⑤ Ted eats breakfast.   → _____ **Ted** eat breakfast?

⑥ The girls listen to music. → _____ **the girls** listen to music?

⑦ Kate likes baseball.   → _____ **Kate** like baseball?

⑧ The boy plays the drums. → _____ **the boy** play the drums?

B 다음 그림을 보고, 알맞은 대답을 고르세요.

①  **Q** Do they watch TV?
   A ☐ Yes, they do.   ☑ No, they don't.

②  **Q** Does he wear glasses?
   A ☐ Yes, he does.   ☐ No, he doesn't.

③  **Q** Does it have a tail?
   A ☐ Yes, it does.   ☐ No, it doesn't.

④  **Q** Do you listen to music?
   A ☐ Yes, you do.   ☐ Yes, I do.

C 다음 그림을 보고, ( ) 안에서 알맞은 것을 고르세요.

❶ **Q** (Do / (Does)) the boy wear a cap?
A Yes, ((he does) / he doesn't).

❷ **Q** (Do / Does) you have long hair?
A No, (we do / we don't).

❸ **Q** (Do / Does) Emily go to bed early?
A No, (she does / she doesn't).

❹ **Q** (Do / Does) he drive a car?
A Yes, (he does / he doesn't).

❺ **Q** (Do / Does) your friends play basketball?
A Yes, (they do / they don't).

D 다음 주어진 문장을 의문문으로 바꿀 때, 빈칸에 알맞은 말을 쓰세요.

❶ He plays the violin. 그는 바이올린을 연주한다.

→ __Does__ __he__ __play__ the violin?

❷ You eat breakfast. 너는 아침을 먹는다.

→ _____ _____ _____ breakfast?

❸ The kids make robots. 그 아이들은 로봇을 만든다.

→ _____ _____ _____ _____ robots?

❹ Erin has a Chinese class. 에린은 중국어 수업이 있다.

→ _____ _____ _____ a Chinese class?

A   알맞은 것에 체크하고, 대화를 완성하세요.

❶ **Q** [Do] [they] [read books] ?   ☑ Do ☐ Does

    A [No] , [they] [don't] .

❷ **Q** [   ] [it] [jump high] ?   ☐ Do ☐ Does

    A [Yes] , [   ] .

❸ **Q** [   ] [he] [like cookies] ?   ☐ Do ☐ Does

    A [No] , [   ] .

B   우리말에 맞게 보기에서 알맞은 단어를 골라 쓴 다음, 전체 문장을 다시 쓰세요.

| 보기 | you   he   Luna   do   does |

❶ 그는 선글라스가 필요하니?

[need sunglasses] [?] [Does he]

→   Does he need sunglasses?

❷ 너는 설거지를 하니?

[?] [   ] [wash the dishes]

→ _____

❸ Luna(루나)는 그림을 그리니?

[draw pictures] [   ] [?]

→ _____

[01~03] 다음 그림을 보고, ( ) 안에서 알맞은 것을 고르세요.

01

He (draws / doesn't draw) pictures.

02

They (take / don't take) a bus.

03

Q Do the bees make honey?
A Yes, they (do / don't).

[04~05] 우리말에 맞게 ( ) 안에서 알맞은 것을 고르세요.

04 (Do / Does) they wear glasses?

그들은 안경을 쓰니?

05 Eddie (don't / doesn't) eat hamburgers.

에디는 햄버거를 먹지 않는다.

[06~07] 다음 빈칸에 들어갈 말로 알맞은 것을 고르세요.

06

_____ doesn't go shopping.

① You   ② They
③ My sisters ④ My aunt

07

Q Do you need water?
A Yes, _____.

① I am   ② I do
③ I don't   ④ I doesn't

[08~09] 다음 중 밑줄 친 부분이 <u>잘못된</u> 것을 고르세요.

08 ① We <u>don't</u> drink juice.
② He <u>doesn't</u> like basketball.
③ My dad <u>doesn't</u> watch TV.
④ She <u>don't</u> clean her room.

09 ① <u>Do</u> Lily like dogs?
② <u>Does</u> he speak English?
③ <u>Does</u> she drink coffee?
④ <u>Do</u> you have a brother?

[10~11] 다음 ( ) 안에서 알맞은 것을 고르세요.

10 My sister doesn't (has / have) a bike.

11 **Q** (Do / Does) he drive a car?
A No, he (don't / doesn't).

[12~15] 우리말에 맞게 보기에서 알맞은 말을 골라 문장을 완성하세요.

> <보기>
> do　　does　　don't　　doesn't
> like　　wear　　live　　eat

12 Eric(에릭)은 야구모자를 쓰지 않는다.
➔ Eric ＿＿＿＿＿ ＿＿＿＿＿ a cap.

13 너는 채소를 좋아하니?
➔ ＿＿＿＿＿ you ＿＿＿＿＿ vegetables?

14 우리는 아침을 먹지 않는다.
➔ We ＿＿＿＿＿ ＿＿＿＿＿ breakfast.

15 그녀는 서울에 살지 않는다.
➔ She ＿＿＿＿＿ ＿＿＿＿＿ in Seoul.

[16~17] 다음 그림을 보고, 알맞은 대화를 완성하세요.

16

Q ＿＿＿＿＿ she have a bag?
A No, ＿＿＿＿＿ ＿＿＿＿＿.

17

Q ＿＿＿＿＿ you read books?
A Yes, ＿＿＿＿＿ ＿＿＿＿＿.

[18~20] 다음 밑줄 친 부분을 바르게 고쳐 쓰세요.

18 Jack <u>don't</u> have a piano.
➔ ＿＿＿＿＿

19 My friends <u>doesn't</u> play tennis.
➔ ＿＿＿＿＿

20 Does your sister <u>likes</u> chocolate?
➔ ＿＿＿＿＿

A 다음 ( ) 안에서 알맞은 것을 고르세요.

❶ Lucas (like / (likes)) carrots.   ❷ He (isn't / doesn't) drink milk.

❸ (Are / Do) you cook dinner?   ❹ She (brushs / brushes) her teeth.

❺ We (go / goes) to school.   ❻ (Do / Does) the baby cry?

B 우리말에 맞게 주어진 단어를 빈칸에 알맞은 형태로 쓰세요.

❶ She ___studies___ history. (study)   그녀는 역사를 공부한다.

❷ Leo _____ flowers. (buy)   레오는 꽃을 산다.

❸ My mom _____ a cake. (bake)   엄마는 케이크를 구우신다.

❹ He doesn't _____ a sister. (have)   그는 누나가 없다.

❺ Henry _____ his homework. (do)   헨리는 숙제를 한다.

❻ Do the kids _____ a movie? (watch)   그 아이들은 영화를 보니?

C 다음 밑줄 친 부분을 바르게 고쳐 쓰세요.

❶ They <u>doesn't</u> work at a zoo.   → ___don't___

❷ David <u>teachs</u> English.   → _____

❸ Does she <u>has</u> a pet?   → _____

왓츠 그래머!

FINAL TEST 1회

01 다음 중 명사가 <u>아닌</u> 것을 고르세요.

① rabbit

② James

③ have

④ house

02 다음 중 명사의 종류가 <u>잘못</u> 짝지어진 것을 고르세요.

① sugar - 사물

② Seoul - 사물

③ boy - 사람

④ lion - 동물

03 다음 중 셀 수 없는 명사가 <u>아닌</u> 것을 고르세요.

① star

② English

③ bread

④ time

04 다음 중 명사의 복수형이 바르게 짝지어진 것을 고르세요.

① fox - fox

② boy - boyes

③ dish - dishes

④ church - churchs

[05~06] 다음 빈칸에 들어갈 말로 알맞은 것을 고르세요.

05

I have four _____.

① brush　　② brushs

③ a brush　④ brushes

06

I need a _____.

① dog　　② onion

③ desks　④ boxes

[07-09] 우리말에 맞게 (　) 안에서 알맞은 것을 고르세요.

07 그는 피아니스트이다.

➔ (He / She) is a pianist.

08 그들은 용감하다.

➔ (They / It) are brave.

09 그것은 너의 야구모자이다.

➔ It is (you / your) cap.

[10~11] 다음 빈칸에 들어갈 말로 알맞지 <u>않은</u> 것을 고르세요.

10

_____ name is Alex.

① Your   ② I
③ His   ④ Her

11

They are _____ bags.

① his   ② our
③ we   ④ their

[12~14] 다음 밑줄 친 부분을 인칭대명사로 바꿀 때 알맞은 것을 고르세요.

12 <u>Clara and I</u> are students.

① You   ② We
③ Our   ④ They

13 <u>My dad</u> is a teacher.

① She   ② We
③ He   ④ Her

14 <u>The dogs</u> are small.

① They   ② It
③ He   ④ I

[15~16] 다음 빈칸에 들어갈 말로 알맞은 것을 고르세요.

15

You _____ my friend.

① are   ② is
③ do   ④ isn't

16

The birds _____ on the tree.

① am   ② likes
③ are   ④ is

17 다음 밑줄 친 be동사의 뜻이 <u>다른</u> 것을 고르세요.

① We <u>are</u> cooks.
② She <u>is</u> at school.
③ They <u>are</u> my brothers.
④ He <u>is</u> a police officer.

18 다음 중 올바른 문장을 고르세요.

① He not is hungry.
② We isn't pilots.
③ You are a singer?
④ They aren't on the sofa.

[19~21] 다음 그림을 보고, ( ) 안에서 알맞은 것을 고르세요.

19

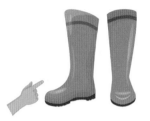

(This / These) are his boots.

20

Those are (chicken / chickens).

21

(That / Those) is my aunt.

22 다음 밑줄 친 부분이 잘못된 것을 고르세요.

① Eric plays the piano.
② Her eyes are big.
③ He is draws a picture.
④ My sisters read books.

23 다음 밑줄 친 부분이 일반동사인 것을 고르세요.

① I am a firefighter.
② We play the violin.
③ That is a frog.
④ The books are on the table.

24 다음 중 동사원형과 3인칭 단수형이 잘못 짝지어진 것을 고르세요.

① like - likes
② fix - fixes
③ cry - crys
④ eat - eats

25 다음 빈칸에 들어갈 말이 바르게 짝지어진 것을 고르세요.

• The girl _____ go to school.
• Does Maria _____ music?

① doesn't - like
② doesn't - likes
③ don't   - like
④ don't   - are

[26~28] 다음 그림을 보고, 주어진 단어를 알맞은 형태로 쓰세요.

26

Sera _____ her homework. (do)

27

Dave _____ math. (study)

28

He _____ a car. (have)

[29~30] 다음 문장을 괄호 안의 지시대로 바꿔 쓸 때, 빈칸에 알맞은 말을 쓰세요.

29 She likes orange juice.

→ (부정문) She _____ _____ orange juice.

30 Amy has lunch at 12:00.

→ (의문문) _____ Amy _____ lunch at 12:00?

틀린 문제가 어느 챕터에 해당하는지 확인하고, 복습해보세요.

정답과 해설 p.22

1	2	3	4	5	6	7	8	9	10
Ch1	Ch1	Ch1	Ch1	Ch1	Ch1	Ch2	Ch2	Ch2	Ch2
11	**12**	**13**	**14**	**15**	**16**	**17**	**18**	**19**	**20**
Ch2	Ch2	Ch2	Ch2	Ch3, Ch4, Ch6	Ch3, Ch6	Ch3	Ch3, Ch4	Ch5	Ch5
21	**22**	**23**	**24**	**25**	**26**	**27**	**28**	**29**	**30**
Ch5	Ch6	Ch6	Ch6	Ch7	Ch6	Ch6	Ch6	Ch7	Ch7

FINAL TEST 2회

01 다음 중 명사로만 짝지어진 것을 고르세요.

① boy - eat

② good - dog

③ cry - school

④ pencil - New York

[02~03] 다음 중 셀 수 없는 명사를 고르세요.

02 ① apple

② salt

③ picture

④ orange

03 ① train

② house

③ teacher

④ science

04 다음 중 명사의 복수형 변화가 나머지와 다른 것을 고르세요.

① desk

② book

③ dish

④ cat

[05~06] 다음 밑줄 친 부분을 바르게 고친 것을 고르세요.

05 I need two <u>watch</u>.

① a watch　　② watchs

③ watches　　④ an watch

06 I have <u>a egg</u>.

① a eggs　　② an egg

③ egg　　④ egges

07 다음 빈칸에 들어갈 말이 바르게 짝지어진 것을 고르세요.

• _____ is a book.

• _____ umbrella is yellow.

① It - I　　② We - His

③ It - My　　④ You - They

[08~09] 다음 빈칸에 들어갈 말로 알맞은 것을 고르세요.

08

_____ are police officers.

① I   ② We
③ He   ④ She

09

_____ house is big.

① It   ② We
③ They   ④ Your

[10~11] 다음 빈칸에 들어갈 be동사가 <u>다른</u> 것을 고르세요.

10 ① It _____ a deer.
② He _____ a doctor.
③ They _____ teachers.
④ She _____ my friend.

11 ① Sally _____ a singer.
② His shoes _____ dirty.
③ Peter and I _____ smart.
④ Flowers _____ pretty.

12 다음 대명사 주어와 be동사를 바르게 줄여 쓴 것을 고르세요.

① I am - I'am
② She is - She'is
③ We are - We're
④ They are - They'ar

13 다음 문장을 부정문으로 만들 때 not이 들어갈 위치로 알맞은 것을 고르세요.

She ① is ② in ③ the ④ classroom.

14 다음 문장을 의문문으로 바르게 바꾼 것을 고르세요.

She is famous.

① She is famous?
② Are she famous?
③ Is she famous?
④ She isn't famous.

15 다음 의문문에 대한 대답으로 알맞은 것을 고르세요.

Q Are you a baseball player?
A No, _____.

① you aren't   ② he isn't
③ he aren't   ④ I'm not

[16-18] 우리말에 맞게 ( ) 안에서 알맞은 것을 고르세요.

16 저것은 그녀의 바이올린이다.

→ That (is / are) her violin.

17 이것들은 나의 가방들이다.

→ (This / These) are my bags.

18 저것들은 오리들이다.

→ (That / Those) are ducks.

[19~20] 다음 빈칸에 들어갈 말로 알맞은 것을 고르세요.

19

> My dad _____ the newspaper.

① read   ② is
③ reads   ④ are

20

> _____ don't drink milk.

① Sam and I   ② Cindy
③ My aunt   ④ It

[21~23] 다음 그림을 보고, ( ) 안에서 알맞은 것을 고르세요.

21

Chris (ride / rides) a bike.

22

My brother (is / listens) to music.

23

I (fly / wash) a kite.

24 다음 중 밑줄 친 부분이 올바른 것을 고르세요.

① Sue go to school.

② Amy washs her face.

③ He buies ice cream.

④ We play at the beach.

[25~27] 다음 밑줄 친 부분이 잘못된 것을 고르세요.

25 ① We <u>do not</u> like dogs.

② He doesn't <u>eats</u> pizza.

③ <u>Do</u> they live in Korea?

④ <u>Does</u> she have a bike?

26 ① The kid <u>passes</u> the ball.

② She <u>studys</u> music.

③ Mr. Mac <u>teaches</u> math.

④ Kevin <u>has</u> brown eyes.

27 ① I <u>work</u> at a bank.

② We <u>drink</u> soda.

③ They <u>take</u> a bus.

④ She <u>is has</u> a cellphone.

[28~30] 다음 그림을 보고, 주어진 단어를 이용하여 빈칸에 알맞은 말을 쓰세요.

28

The boy _____ _____ hamburgers. (eat)

29

She _____ TV. (watch)

30

Q _____ they _____ the dishes? (wash)

A Yes, _____ _____ .

틀린 문제가 어느 챕터에 해당하는지 확인하고, 복습해보세요.

정답과 해설 p.23

1	2	3	4	5	6	7	8	9	10
Ch1	Ch1	Ch1	Ch1	Ch1	Ch1	Ch2	Ch2	Ch2	Ch3
11	**12**	**13**	**14**	**15**	**16**	**17**	**18**	**19**	**20**
Ch3	Ch3	Ch4	Ch4	Ch4	Ch5	Ch5	Ch5	Ch6	Ch7
21	**22**	**23**	**24**	**25**	**26**	**27**	**28**	**29**	**30**
Ch6	Ch6	Ch6	Ch6	Ch7	Ch6	Ch6	Ch7	Ch6	Ch7

1 구문
판매 1위 '천일문' 콘텐츠를 활용하여 정확하고 다양한 구문 학습

(끊어읽기) (해석하기) (문장 구조 분석) (해설·해석 제공) (단어 스크램블링) (영작하기)

2 문법·서술형
쎄듀의 모든 문법 문항을 활용하여 내신까지 해결하는 정교한 문법 유형 제공

(객관식과 주관식의 결합) (문법 포인트별 학습) (보기를 활용한 집합 문항) (내신대비 서술형) (어법+서술형 문제)

3 어휘
초·중·고·공무원까지 방대한 어휘량을 제공하며 오프라인 TEST 인쇄도 가능

(영단어 카드 학습) (단어 ↔ 뜻 유형) (예문 활용 유형) (단어 매칭 게임)

4 선생님 보유 문항 이용

(Online Test) (OMR Test)

초등코치

천일문 *sentence*

1,001개 통문장 암기로 영어의 기초 완성

1 | 초등학생도 쉽게 따라 할 수 있는 암기 시스템 제시

2 | 암기한 문장에서 자연스럽게 문법 규칙 발견

3 | 영어 동화책에서 뽑은 빈출 패턴으로 흥미와 관심 유도

4 | 미국 현지 초등학생 원어민 성우가 녹음한 생생한 MP3

5 | 세이펜(음성 재생장치)을 활용해 실시간으로 듣고 따라 말하는 효율적인 학습 가능

Role Play 기능을 통해 원어민 친구와 1:1 대화하기!

* 기존 보유하고 계신 세이펜으로도 핀파일 업데이트 후 사용 가능합니다.

* Role Play 기능은 '레인보우 SBS-1000' 이후 기종에서만 기능이 구현됩니다.

내신, 수능, 말하기, 회화 목적은 달라도 시작은 초등코치 천일문!

with 세이펜

• 연계 & 후속 학습에 좋은 초등코치 천일문 시리즈 •

초등코치 천일문 GRAMMAR 1, 2, 3

-

1,001개 예문으로 배우는 초등 영문법

초등코치 천일문 VOCA & STORY 1, 2

-

1001개의 초등 필수 어휘와 짧은 스토리

쎄듀북닷컴(www.cedubook.com)에서 부가 자료를 무료로 다운로드 할 수 있습니다.

쎄듀

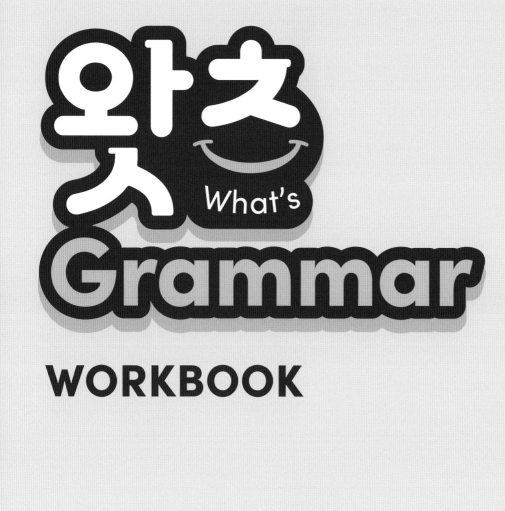

What's

Grammar

WORKBOOK

Start

1

교육부 지정

초등 필수 영문법

쎄듀

와츠 What's Grammar

WORKBOOK

Start 1

UNIT 1 명사의 의미와 종류

● 명사이면 ○, 명사가 아니면 ✕한 후, 명사일 경우 알맞은 명사의 종류를 고르세요.

01 girl 소녀　→ ___○___　☑ 사람　☐ 동물　☐ 사물　☐ 장소

02 see 보다　→ _____　☐ 사람　☐ 동물　☐ 사물　☐ 장소

03 dog 개　→ _____　☐ 사람　☐ 동물　☐ 사물　☐ 장소

04 good 좋은　→ _____　☐ 사람　☐ 동물　☐ 사물　☐ 장소

05 have 가지다　→ _____　☐ 사람　☐ 동물　☐ 사물　☐ 장소

06 doll 인형　→ _____　☐ 사람　☐ 동물　☐ 사물　☐ 장소

07 school 학교　→ _____　☐ 사람　☐ 동물　☐ 사물　☐ 장소

08 cry 울다　→ _____　☐ 사람　☐ 동물　☐ 사물　☐ 장소

09 Mr. Pitt 피트 씨　→ _____　☐ 사람　☐ 동물　☐ 사물　☐ 장소

10 London 런던　→ _____　☐ 사람　☐ 동물　☐ 사물　☐ 장소

11 give 주다　→ _____　☐ 사람　☐ 동물　☐ 사물　☐ 장소

12 cheese 치즈　→ _____　☐ 사람　☐ 동물　☐ 사물　☐ 장소

13 horse 말　→ _____　☐ 사람　☐ 동물　☐ 사물　☐ 장소

14 grandma 할머니　→ _____　☐ 사람　☐ 동물　☐ 사물　☐ 장소

15 church 교회　→ _____　☐ 사람　☐ 동물　☐ 사물　☐ 장소

◐ 다음 중 알맞은 것을 고르세요.

01 (a)/ an / ✕　doll 인형

02 a / an / ✕　milk 우유

03 a / an / ✕　orange 오렌지

04 a / an / ✕　box 상자

05 a / an / ✕　pencil 연필

06 a / an / ✕　English 영어

07 a / an / ✕　soccer 축구

08 a / an / ✕　bicycle 자전거

09 a / an / ✕　apple 사과

10 a / an / ✕　Japan 일본

11 a / an / ✕　umbrella 우산

12 a / an / ✕　tree 나무

13 a / an / ✕　egg 달걀

14 a / an / ✕　banana 바나나

15 a / an / ✕　Seoul 서울

16 a / an / ✕　bird 새

17 a / an / ✕　music 음악

18 a / an / ✕　frog 개구리

19 a / an / ✕　camera 카메라

20 a / an / ✕　math 수학

21 a / an / ✕　ear 귀

22 a / an / ✕　love 사랑

23 a / an / ✕　owl 부엉이

24 a / an / ✕　Kate 케이트

● 다음 명사의 복수형을 쓰세요.

01	a chair	의자	→ three	chairs
02	a bus	버스	→ five	
03	a church	교회	→ four	
04	a train	기차	→ two	
05	an apple	사과	→ six	
06	a fox	여우	→ two	
07	a mountain	산	→ three	
08	an egg	달걀	→ seven	
09	a cat	고양이	→ four	
10	an orange	오렌지	→ eight	
11	a watch	손목시계	→ six	
12	a dish	접시	→ three	
13	a dolphin	돌고래	→ two	
14	a student	학생	→ ten	
15	a sister	여동생	→ three	

● 알맞은 것을 고르고, 전체 문장을 쓰세요.

01 [I] [have] an doll / (a doll) .

➡ I have a doll.

02 [I] [have] a bread / bread .

➡ _____

03 [I] [like] milk / a milk .

➡ _____

04 [I] [have] [three] watchs / watches .

➡ _____

05 [I] [like] cheese / a cheese .

➡ _____

06 [I] [need] a eraser / an eraser .

➡ _____

07 [I] [have] [two] classs / classes .

➡ _____

08 [I] [need] [four] brushes / brushs .

➡ _____

UNIT 1 대명사 I, We, You

◐◑ 우리말에 맞게 빈칸에 알맞은 말을 쓰세요.

01 우리는 의사이다. → ___We___ are doctors.

02 나는 농부이다. → _____ am a farmer.

03 당신은 요리사이다. → _____ are a cook.

04 나는 행복하다. → _____ am happy.

05 우리는 키가 크다. → _____ are tall.

06 당신들은 무용수들이다. → _____ are dancers.

07 우리는 선생님이다. → _____ are teachers.

08 당신은 비행기 조종사이다. → _____ are a pilot.

09 우리는 졸리다. → _____ are sleepy.

10 너는 예쁘다. → _____ are pretty.

11 나는 똑똑하다. → _____ am smart.

12 너희들은 야구선수들이다. → _____ are baseball players.

13 우리는 가수이다. → _____ are singers.

14 나는 의사이다. → _____ am a doctor.

15 당신은 소방관이다. → _____ are a firefighter.

● 다음 밑줄 친 부분을 대명사로 바꾸고, 알맞은 우리말 뜻을 고르세요.

01　<u>Kate</u> is a nurse.　→　_She_　☐ 그는　☑ 그녀는

02　<u>The skirt</u> is short.　→　_____　☐ 그것은　☐ 그것들은

03　<u>My brother</u> is a doctor.　→　_____　☐ 그는　☐ 그녀는

04　<u>The boys</u> are students.　→　_____　☐ 그는　☐ 그들은

05　<u>Lilly</u> is a singer.　→　_____　☐ 그녀는　☐ 그것은

06　<u>Peter</u> is tall.　→　_____　☐ 그것은　☐ 그는

07　<u>Susan and Ted</u> are artists.　→　_____　☐ 그들은　☐ 그녀는

08　<u>My sister</u> is a scientist.　→　_____　☐ 그는　☐ 그녀는

09　<u>The tiger</u> is big.　→　_____　☐ 그것은　☐ 그것들은

10　<u>Dad</u> is a police officer.　→　_____　☐ 그것은　☐ 그는

11　<u>The computer</u> is new.　→　_____　☐ 그것은　☐ 그는

12　<u>The dogs</u> are cute.　→　_____　☐ 그는　☐ 그것들은

13　<u>Tom</u> is a firefighter.　→　_____　☐ 그는　☐ 그들은

14　<u>The ball</u> is round.　→　_____　☐ 그들은　☐ 그것은

15　<u>The kids</u> are hungry.　→　_____　☐ 그들은　☐ 그녀는

● 다음 밑줄 친 부분의 알맞은 대명사를 (   ) 안에서 고르세요.

01 그것은 <u>나의</u> 컴퓨터이다. → It is (I / (my)) computer.

02 그것들은 <u>너의</u> 장난감이다. → They are (my / your) toys.

03 그녀는 <u>그의</u> 이모이다. → She is (his / he) aunt.

04 <u>그녀의</u> 이름은 안나이다. → (She / Her) name is Anna.

05 <u>그들의</u> 차는 파란색이다. → (Their / They) car is blue.

06 <u>우리의</u> 집은 크다. → (We / Our) house is big.

07 그것은 <u>나의</u> 책이다. → It is (my / our) book.

08 그는 <u>그들의</u> 친구이다. → He is (our / their) friend.

09 <u>그녀의</u> 자전거는 오래되었다. → (His / Her) bike is old.

10 그것들은 <u>나의</u> 공책들이다. → They are (my / I) notebooks.

11 <u>그것의</u> 꼬리는 짧다. → (It / Its) tail is short.

12 그것은 <u>우리의</u> 학교이다. → It is (our / we) school.

13 <u>그의</u> 지우개는 작다. → (He / His) eraser is small.

14 그것은 <u>너의</u> 신발이다. → They are (your / you) shoes.

15 그것은 <u>그녀의</u> 포크이다. → It is (she / her) fork.

● 우리말에 맞게 알맞은 것을 고르고, 전체 문장을 쓰세요.

01 너는 배고프다.

I / (You) are hungry .

→ You are hungry.

02 우리는 비행기 조종사이다.

We / You are pilots .

→ _____

03 그들은 선생님들이다.

They / It are teachers .

→ _____

04 그것은 컴퓨터이다.

They / It is a computer .

→ _____

05 그것들은 그의 연필들이다.

They are his / he pencils .

→ _____

06 그것은 그녀의 컵이다.

It is her / she cup .

→ _____

UNIT 1 대명사 + be동사

● 다음 ( ) 안에서 알맞은 것을 고르고, 빈칸에 '대명사 주어+be동사'의 줄임말을 쓰세요.

01 You (am / (are) / is) happy. → _____You're_____
당신은 행복하다.

02 He (am / are / is) a doctor. → _____
그는 의사이다.

03 They (am / are / is) hungry. → _____
그들은 배고프다.

04 I (am / are / is) pretty. → _____
나는 예쁘다.

05 We (am / are / is) students. → _____
우리는 학생이다.

06 She (am / are / is) a cook. → _____
그녀는 요리사이다.

07 It (am / are / is) a book. → _____
그것은 책이다.

08 You (am / are / is) singers. → _____
너희들은 가수들이다.

09 They (am / are / is) my friends. → _____
그들은 내 친구들이다.

10 It (am / are / is) a cat. → _____
그것은 고양이다.

● 다음 명사를 대명사로 바꾸고, 알맞은 be동사를 고르세요.

01 Jenny → ___She___ ☐ are ☑ is

02 Tom and I → _____ ☐ are ☐ is

03 The sugar → _____ ☐ are ☐ is

04 Anna and Ted → _____ ☐ are ☐ is

05 The teachers → _____ ☐ are ☐ is

06 Jack → _____ ☐ are ☐ is

07 Eric and I → _____ ☐ are ☐ is

08 Adam and Jin → _____ ☐ are ☐ is

09 The milk → _____ ☐ are ☐ is

10 The flowers → _____ ☐ are ☐ is

11 Mr. Brown → _____ ☐ are ☐ is

12 You and Andy → _____ ☐ are ☐ is

13 The peaches → _____ ☐ are ☐ is

14 Cathy → _____ ☐ are ☐ is

15 Her skirt → _____ ☐ are ☐ is

◗ 다음 빈칸에 알맞은 be동사를 쓰고, be동사의 우리말 뜻을 고르세요.

01 He ___is___ at the restaurant.   ☐ ~이다   ☑ ~(에) 있다

02 The students _____ tall.   ☐ (어떠)하다   ☐ ~(에) 있다

03 A doll _____ on the chair.   ☐ (어떠)하다   ☐ ~(에) 있다

04 The girl _____ my sister.   ☐ ~(에) 있다   ☐ ~이다

05 A pencil _____ on the desk.   ☐ ~(에) 있다   ☐ (어떠)하다

06 Amy and I _____ hungry.   ☐ ~(에) 있다   ☐ (어떠)하다

07 She _____ on the bed.   ☐ (어떠)하다   ☐ ~(에) 있다

08 The dishes _____ clean.   ☐ ~(에) 있다   ☐ (어떠)하다

09 A ball _____ in the box.   ☐ ~(에) 있다   ☐ (어떠)하다

10 My dad _____ a teacher.   ☐ ~(에) 있다   ☐ ~이다

11 The dogs _____ on the sofa.   ☐ ~(에) 있다   ☐ ~이다

12 An eraser _____ in the pencil case.   ☐ (어떠)하다   ☐ ~(에) 있다

13 We _____ doctors.   ☐ ~이다   ☐ ~(에) 있다

14 The vase _____ on the table.   ☐ ~(에) 있다   ☐ (어떠)하다

15 They _____ sad.   ☐ ~(에) 있다   ☐ (어떠)하다

● 알맞은 것을 고르고, 전체 문장을 쓰세요.

01 | We | is / ~~are~~ | students | .

→ We are students.

02 | Jenny | is / are | tall | .

→ _____

03 | The dog | is / are | in the house | .

→ _____

04 | The're / They're | expensive | .

→ _____

05 | The coffee | is / are | hot | .

→ _____

06 | It | is / are | a book | .

→ _____

07 | People | is / are | at the library | .

→ _____

08 | Judy and her brother | is / are | thirsty | .

→ _____

UNIT 1 be동사의 부정문

● 다음 ( ) 안에서 알맞은 것을 고르고, 빈칸에 'be동사+not'의 줄임말을 쓰세요.

01 She (are not / (is not)) my sister. → She _____isn't_____
그녀는 내 여동생이 아니다.

02 You (are not / is not) hungry. → You _____
너는 배고프지 않다.

03 They (are not / is not) at home. → They _____
그들은 집에 없다.

04 He (are not / is not) in the hospital. → He _____
그는 병원에 없다.

05 I (am not / is not) tall. → _____
나는 키가 크지 않다.

06 It (am not / is not) cute. → It _____
그것은 귀엽지 않다.

07 We (am not / are not) classmates. → We _____
우리는 반 친구가 아니다.

08 He (is not / are not) a singer. → He _____
그는 가수가 아니다.

09 It (are not / is not) on the table. → It _____
그것은 탁자 위에 없다.

10 They (are not / is not) lions. → They _____
그것들은 사자들이 아니다.

● 주어진 문장을 의문문으로 바꿀 때, 빈칸에 알맞은 말을 쓰세요.

01 You are a baseball player. 너는 야구선수이다.

→ ____Are____ ____you____ a baseball player? 너는 야구선수니?

02 She is in the room. 그녀는 방 안에 있다.

→ _____ _____ in the room? 그녀는 방 안에 있니?

03 They are my glasses. 그것은 나의 안경이다.

→ _____ _____ your glasses? 그것은 너의 안경이니?

04 It is delicious. 그것은 맛있다.

→ _____ _____ delicious? 그것은 맛있니?

05 He is late. 그는 늦었다.

→ _____ _____ late? 그는 늦었니?

06 We are firefighters. 우리는 소방관이다.

→ _____ _____ firefighters? 우리는 소방관이니?

07 He is at school. 그는 학교에 있다.

→ _____ _____ at school? 그는 학교에 있니?

08 She is a cook. 그녀는 요리사이다.

→ _____ _____ a cook? 그녀는 요리사니?

09 They are police officers. 그들은 경찰관들이다.

→ _____ _____ police officers? 그들은 경찰관들이니?

10 You are happy. 너는 행복하다.

→ _____ _____ happy? 너는 행복하니?

Grammar in Sentences

알맞은 것을 고르고, 전체 문장을 쓰세요.

01 | You | is not / ~~are not~~ | a doctor |.

→ You are not a doctor.

02 | He | isn't / aren't | a singer |.

→ _____

03 | They | isn't / aren't | at the cafe |.

→ _____

04 | Is / Are | you | a scientist |?

→ _____

05 | We are / Are we | late |?

→ _____

06 | Is / Are | she | at home |?

→ _____

07 | We | isn't / aren't | firefighters |.

→ _____

08 | Is / Are | he | kind |?

→ _____

UNIT 1 This와 That

⬤ 우리말에 맞게 알맞은 지시대명사를 고르고, 문장을 완성하세요.

01 이것은 사과이다. → (**This** / That) ____is____ an apple.

02 저분은 내 엄마이시다. → (This / That) _____ my mother.

03 이것은 내 개다. → (This / That) _____ my dog.

04 저것은 토끼이다. → (This / That) _____ a rabbit.

05 이것은 그의 자동차이다. → (This / That) _____ his car.

06 저것은 그녀의 연필이다. → (This / That) _____ her pencil.

07 이 아이는 내 반 친구이다. → (This / That) _____ my classmate.

08 이것은 책상이다. → (This / That) _____ a desk.

09 저것은 교회이다. → (This / That) _____ a church.

10 저 사람은 그녀의 오빠이다. → (This / That) _____ her brother.

11 이것은 바구니이다. → (This / That) _____ a basket.

12 저것은 자전거이다. → (This / That) _____ a bicycle.

13 저분은 내 선생님이시다. → (This / That) _____ my teacher.

14 이분은 내 아빠이시다. → (This / That) _____ my father.

15 저것은 토마토이다. → (This / That) _____ a tomato.

우리말에 맞게 알맞은 지시대명사와 be동사를 넣어 문장을 완성하세요.

01 이것들은 연필들이다. → ___These___ are pencils.

02 저것들은 고양이들이다. → _____ are cats.

03 이 아이들은 내 친구들이다. → These _____ my friends.

04 저 사람들은 비행기 조종사들이다. → _____ are pilots.

05 저것들은 호랑이들이다. → _____ are tigers.

06 이것들은 공책들이다. → These _____ notebooks.

07 이분들은 그의 이모들이다. → _____ _____ his aunts.

08 저것들은 오렌지들이다. → _____ _____ oranges.

09 이것들은 우리의 가방들이다. → These _____ our bags.

10 이것들은 그의 바지이다. → _____ _____ his pants.

11 저 사람들은 간호사들이다. → _____ are nurses.

12 저것들은 감자들이다. → Those _____ potatoes.

13 이것들은 오리들이다. → _____ _____ ducks.

14 저 아이들은 내 사촌들이다. → _____ are my cousins.

15 이것들은 레몬들이다. → These _____ lemons.

◔ 우리말에 맞게 알맞은 것을 고르고, 전체 문장을 쓰세요.

01 저것은 기린이다.

This / (That)　｜ is ｜　｜ a giraffe ｜ .

➡ That is a giraffe. _____

02 이 사람은 Jenny(제니)이다.

This / That　｜ is ｜　｜ Jenny ｜ .

➡ _____

03 저것들은 집들이다.

These / Those　｜ are ｜　｜ houses ｜ .

➡ _____

04 이것은 내 우산이다.

｜ This ｜　are / is　｜ my umbrella ｜ .

➡ _____

05 이 사람들은 그의 여동생들이야.

These / Those　｜ are ｜　｜ his sisters ｜ .

➡ _____

06 저것들은 책들이다.

｜ Those ｜　is / are　｜ books ｜ .

➡ _____

UNIT 1　일반동사

● 우리말에 맞게 (　) 안에서 알맞은 것을 고르세요.

01 I (am / have) a dog.　　　　　　나는 개 한 마리가 있다.

02 They (are / like) bears.　　　　　그것들은 곰들이다.

03 They (eat / work) at the cafe.　　그들은 카페에서 일한다.

04 The girls (enjoy / play) soccer.　그 여자아이들은 축구를 한다.

05 We (swim / run) fast.　　　　　우리는 빠르게 달린다.

06 They (go / watch) baseball.　　그들은 야구 경기를 본다.

07 The babies (eat / sleep).　　　그 아기들은 잔다.

08 We (have / cook) dinner.　　　우리는 저녁 식사를 요리한다.

09 I (do / ride) a bike.　　　　　나는 자전거를 탄다.

10 They (are / teach) students.　그들은 학생들이다.

11 The birds (make / sing).　　　새들은 노래를 부른다.

12 Rabbits (have / play) long ears.　토끼들은 긴 귀를 가지고 있다.

13 I (am / drink) orange juice.　　나는 오렌지 주스를 마신다.

14 The kids (write / read) books.　그 아이들은 책을 읽는다.

15 We (are / take) a walk.　　　우리는 산책을 한다.

● 다음 주어진 동사의 3인칭 단수형을 쓰세요.

01 eat   → eats   02 push   → _____

03 read   → _____   04 teach → _____

05 like   → _____   06 enjoy → _____

07 play   → _____   08 cry   → _____

09 wash   → _____   10 fly   → _____

11 have   → _____   12 want   → _____

13 jump   → _____   14 pass   → _____

15 make   → _____   16 brush → _____

17 run   → _____   18 go   → _____

19 wear   → _____   20 catch → _____

21 do   → _____   22 watch → _____

23 write → _____   24 fix   → _____

25 study → _____   26 swim   → _____

27 mix   → _____   28 clean → _____

29 stay   → _____   30 open   → _____

● 우리말에 맞게 알맞은 것을 고르고, 전체 문장을 쓰세요.

01 그녀는 바이올린을 연주한다.

| She | buys / (plays) | the violin | .

→ She plays the violin.

02 그들은 학교에서 공부를 한다.

| They | are / study | at school | .

→ _____

03 내 여동생은 버스를 탄다.

| My sister | takes / take | a bus | .

→ _____

04 그는 큰 귀를 가지고 있다.

| He | haves / has | big ears | .

→ _____

05 Chris(크리스)는 숙제를 한다.

| Chris | dos / does | his homework | .

→ _____

06 그 남자아이는 세수한다.

| The boy | washs / washes | his face | .

→ _____

UNIT 1   일반동사의 부정문

● 다음 주어진 문장을 부정문으로 바꾸세요.

01 She likes pizza. 그녀는 피자를 좋아한다.

→ She ___doesn't___ ___like___ pizza. 그녀는 피자를 좋아하지 않는다.

02 They drink coffee. 그들은 커피를 마신다.

→ They _____ _____ coffee. 그들은 커피를 마시지 않는다.

03 My dog swims. 내 개는 헤엄을 친다.

→ My dog _____ _____. 내 개는 헤엄치지 않는다.

04 Tim and I do the dishes. 팀과 나는 설거지를 한다.

→ Tim and I _____ _____ the dishes. 팀과 나는 설거지를 하지 않는다.

05 I know her brother. 나는 그녀의 남동생을 안다.

→ I _____ _____ her brother. 나는 그녀의 남동생을 모른다.

06 Paul plays the piano. 폴은 피아노를 연주한다.

→ Paul _____ _____ the piano. 폴은 피아노를 연주하지 않는다.

07 You take a walk. 너는 산책을 한다.

→ You _____ _____ a walk. 너는 산책을 하지 않는다.

08 He kicks the ball. 그는 공을 찬다.

→ He _____ _____ the ball. 그는 공을 차지 않는다.

09 We enjoy comic books. 우리는 만화책을 즐긴다.

→ We _____ _____ comic books. 우리는 만화책을 즐기지 않는다.

10 I need an umbrella. 나는 우산이 필요하다.

→ I _____ _____ an umbrella. 나는 우산이 필요하지 않다.

◗ 주어진 문장을 의문문으로 바꿀 때, 빈칸에 알맞은 말을 쓰세요.

01　You like hamburgers.　너는 햄버거를 좋아한다.

→ ___Do___　___you___　___like___　hamburgers?　너는 햄버거를 좋아하니?

02　Amy has a camera.　에이미는 카메라를 가지고 있다.

→ _____　_____　_____　a camera?　에이미는 카메라를 가지고 있니?

03　It flies high.　그것은 높이 난다.

→ _____　_____　_____　high?　그것은 높이 나니?

04　The kids study math.　그 아이들은 수학을 공부한다.

→ _____　_____　_____　_____　math?　그 아이들은 수학을 공부하니?

05　They clean the house.　그들은 집을 청소한다.

→ _____　_____　_____　the house?　그들은 집을 청소하니?

06　Mr. Pitt listens to music.　피트 씨는 음악을 듣는다.

→ _____　_____　_____　to music?　피트 씨는 음악을 듣니?

07　She gets up early.　그녀는 일찍 일어난다.

→ _____　_____　_____　up early?　그녀는 일찍 일어나니?

08　Mom cooks breakfast.　엄마는 아침을 요리하신다.

→ _____　_____　_____　breakfast?　엄마는 아침을 요리하시니?

09　You go shopping.　너는 쇼핑하러 간다.

→ _____　_____　_____　shopping?　너는 쇼핑하러 가니?

10　Hannah brushes her hair.　한나는 머리를 빗는다.

→ _____　_____　_____　her hair?　한나는 머리를 빗니?

● 우리말에 맞게 알맞은 것을 고르고, 전체 문장을 쓰세요.

01 나는 고기를 먹지 않는다.

| I | (do not)/ does not | eat | meat | .

→ I do not eat meat.

02 그의 엄마는 안경을 쓰지 않으신다.

| His mother | wears / doesn't wear | glasses | .

→ _____

03 Mark(마크)는 감자를 좋아하지 않는다.

| Mark | do not / does not | like | potatoes | .

→ _____

04 그 남자아이들은 야구를 하니?

Do / Does | the boys | play | baseball | ?

→ _____

05 그녀는 친구들을 만나니?

Do / Does | she | meet | her friends | ?

→ _____

06 네 남동생은 방을 청소하니?

| Does | your brother | clean / cleans | the room | ?

→ _____

단어 따라 쓰기 연습지

단어 따라 쓰기 연습지로 **초등 필수 영단어까지 한 번에!**

일러두기

☑ 교재에 등장한 교육부 지정 초등 필수 영단어를 모두 정리했어요.

☑ 셀 수 있는 명사의 복수형, 동사의 3인칭 단수형까지 함께 공부할 수 있어요.

| CHAPTER 1 | 다음 단어의 뜻을 확인하고, 세 번씩 따라 써보세요.

UNIT 1

1 **boy** (boys)	남자아이	boy boy boy	
2 **girl** (girls)	여자아이		
3 **grandma** (grandmas)	할머니		
4 **dog** (dogs)	개		
5 **cat** (cats)	고양이		
6 **rabbit** (rabbits)	토끼		
7 **lion** (lions)	사자		
8 **cow** (cows)	소		
9 **apple** (apples)	사과		
10 **pencil** (pencils)	연필		
11 **desk** (desks)	책상		
12 **chair** (chairs)	의자		
13 **cheese**	치즈		

14	**house** (houses)	집	
15	**school**	학교	
16	**playground** (playgrounds)	운동장, 놀이터	
17	**Seoul**	서울	
18	**eat** (eats)	먹다	
19	**London**	런던 (영국의 수도)	
20	**tiger** (tigers)	호랑이	
21	**small**	작은	
22	**give** (gives)	주다	
23	**violin** (violins)	바이올린	
24	**go** (goes)	가다	
25	**table** (tables)	탁자, 테이블	
26	**good**	좋은	
27	**strong**	강한	
28	**teach** (teaches)	가르치다	
29	**brother** (brothers)	형, 오빠, 남동생	
30	**Busan**	부산	
31	**very**	매우	
32	**homework**	숙제	
33	**rainy**	비가 오는	

34	**cry** (cries)	울다	
35	**fresh**	신선한	
36	**banana** (bananas)	바나나	
37	**long**	긴	
38	**happy**	행복한	
39	**tell** (tells)	말하다	
40	**fish** (fish)	물고기; 생선	
41	**learn** (learns)	배우다	
42	**smart**	똑똑한	
43	**ask** (asks)	물어 보다	
44	**window** (windows)	창문	
45	**high**	높이; 높은	
46	**have** (has)	가지고 있다; 먹다	
47	**milk**	우유	
48	**old**	늙은; 오래된	
49	**angry**	화가 난	
50	**see** (sees)	보다	
51	**India**	인도	
52	**family** (families)	가족	
53	**piano** (pianos)	피아노	

54	fast	빨리; 빠른	
55	delicious	맛있는	
56	sister (sisters)	언니, 누나, 여동생	
57	tennis	테니스	
58	sunny	화창한	
59	write (writes)	(글자를) 쓰다	
60	big	큰	
61	bag (bags)	가방	
62	hat (hats)	모자	
63	cup (cups)	컵	
64	doll (dolls)	인형	
65	guitar (guitars)	기타	

UNIT 2

1	egg (eggs)	달걀	
2	orange (oranges)	오렌지	
3	umbrella (umbrellas)	우산	
4	bread	빵	
5	butter	버터	
6	salt	소금	

7	sugar	설탕	
8	rice	쌀	
9	water	물	
10	gas	가스	
11	math	수학	
12	science	과학	
13	soccer	축구	
14	baseball	야구	
15	Korea	한국	
16	time	시간	
17	love	사랑	
18	hope	희망	
19	camera (cameras)	카메라	
20	beauty	아름다움	
21	car (cars)	차	
22	peace	평화	
23	tree (trees)	나무	
24	coffee	커피	
25	train (trains)	기차	
26	money	돈	

27	**star** (stars)	별	
28	**cap** (caps)	야구모자	
29	**frog** (frogs)	개구리	
30	**bench** (benches)	벤치	
31	**television** (televisions)	텔레비전, TV	
32	**teacher** (teachers)	선생님	
33	**bicycle** (bicycles)	자전거	
34	**lemon** (lemons)	레몬	
35	**juice**	주스	
36	**book** (books)	책	
37	**airport** (airports)	공항	
38	**ant** (ants)	개미	
39	**taxi** (taxis)	택시	
40	**owl** (owls)	부엉이, 올빼미	
41	**English**	영어	
42	**restaurant** (restaurants)	식당, 레스토랑	
43	**computer** (computers)	컴퓨터	
44	**church** (churches)	교회	
45	**box** (boxes)	상자	
46	**like** (likes)	좋아하다	

47	**ball** (balls)	공	
48	**puppy** (puppies)	강아지	
49	**music**	음악	

UNIT 3

1	**bus** (buses)	버스	
2	**class** (classes)	수업	
3	**dish** (dishes)	접시	
4	**brush** (brushes)	붓, 솔	
5	**watch** (watches)	손목시계	
6	**fox** (foxes)	여우	
7	**student** (students)	학생	
8	**dolphin** (dolphins)	돌고래	
9	**sandwich** (sandwiches)	샌드위치	
10	**toy** (toys)	장난감	
11	**peach** (peaches)	복숭아	
12	**need** (needs)	필요하다	

CH 1 | EXERCISE

1	**Paris**	파리 (프랑스의 수도)	

2	**door** (doors)	문	
3	**Tokyo**	도쿄 《일본의 수도》	
4	**England**	영국	
5	**elephant** (elephants)	코끼리	
6	**bike** (bikes)	자전거	
7	**live** (lives)	살다	
8	**in**	~ 안에, ~에	
9	**rose** (roses)	장미	
10	**too**	~도 (또한)	
11	**glove** (gloves)	장갑; (야구용) 글러브	
12	**bat** (bats)	야구 방망이	

| CHAPTER 2 | 다음 단어의 뜻을 확인하고, 세 번씩 따라 써보세요.

UNIT 1

1	**friend** (friends)	친구	
2	**singer** (singers)	가수	
3	**doctor** (doctors)	의사	
4	**baseball player** (baseball players)	야구 선수	
5	**ballerina** (ballerinas)	발레리나	

6	**police officer** (police officers)	경찰관	
7	**soccer player** (soccer players)	축구 선수	
8	**firefighter** (firefighters)	소방관	
9	**vet** (vets)	수의사	
10	**nurse** (nurses)	간호사	
11	**pilot** (pilots)	비행기 조종사	
12	**farmer** (farmers)	농부	
13	**tall**	키가 큰	
14	**kind**	친절한	
15	**pianist** (pianists)	피아니스트	
16	**cook** (cooks)	요리사	

UNIT 2

1	**dad** (dads)	아빠	
2	**mom** (moms)	엄마	
3	**bear** (bears)	곰	
4	**zookeeper** (zookeepers)	사육사	
5	**deer** (deer)	사슴	
6	**artist** (artists)	화가	
7	**scientist** (scientists)	과학자	

8	**monkey** (monkeys)	원숭이	
9	**actor** (actors)	배우	
10	**goat** (goats)	염소	

UNIT 3

1	**cute**	귀여운	
2	**sheep** (sheep)	양	
3	**gray**	회색의; 회색	
4	**green**	초록색의; 초록색	
5	**yellow**	노란색의; 노란색	
6	**tail** (tails)	꼬리	
7	**tent** (tents)	텐트	
8	**name** (names)	이름	
9	**jump rope** (jump ropes)	줄넘기	
10	**shoes**	신발	
11	**beautiful**	아름다운	
12	**children**	아이들 《child의 복수형》	
13	**balloon** (balloons)	풍선	

1	**horse** (horses)	말	
2	**T-shirt** (T-shirts)	티셔츠	
3	**fun**	재미있는	
4	**American** (Americans)	미국인	
5	**onion** (onions)	양파	
6	**new**	새, 새로운	
7	**drink** (drinks)	마시다	
8	**aunt** (aunts)	이모, 고모, 숙모	
9	**kid** (kids)	아이	

| CHAPTER 3 | 다음 단어의 뜻을 확인하고, 세 번씩 따라 써보세요.

UNIT 1

1	**father** (fathers)	아버지	
2	**grandmother** (grandmothers)	할머니	
3	**magician** (magicians)	마술사	
4	**hamster** (hamsters)	햄스터	
5	**grandfather** (grandfathers)	할아버지	
6	**hungry**	배고픈	

UNIT 2

1	**cold**	차가운, 추운	
2	**flower** (flowers)	꽃	
3	**pretty**	예쁜	
4	**bird** (birds)	새	
5	**dirty**	더러운, 지저분한	
6	**sweet**	달콤한, 단	
7	**taxi driver** (taxi drivers)	택시 운전사	
8	**heavy**	무거운	
9	**dentist** (dentists)	치과 의사	
10	**clean**	깨끗한	

UNIT 3

1	**sofa** (sofas)	소파	
2	**bus stop** (bus stops)	버스 정류장	
3	**at home**	집에	
4	**room** (rooms)	방	
5	**painter** (painters)	화가	
6	**garden** (gardens)	정원	
7	**cake** (cakes)	케이크 한 개	

8	**zoo** (zoos)	동물원	
9	**kitchen** (kitchens)	부엌, 주방	
10	**farm** (farms)	농장	
11	**people**	사람들	
12	**library** (libraries)	도서관	
13	**classroom** (classrooms)	교실	
14	**cookie** (cookies)	쿠키	
15	**park** (parks)	공원	

CH 3 | EXERCISE + REVIEW (CH2-3)

1	**mother** (mothers)	어머니	
2	**penguin** (penguins)	펭귄	
3	**man** (men)	(성인) 남자	
4	**mirror** (mirrors)	거울	
5	**busy**	바쁜	
6	**dress** (dresses)	드레스, 원피스	
7	**stage** (stages)	무대	
8	**little**	어린; 작은	
9	**classmate** (classmates)	반 친구	
10	**sweater** (sweaters)	스웨터	

11	**building** (buildings)	건물, 빌딩	

UNIT 1

1	**easy**	쉬운	
2	**sleepy**	졸리는	
3	**sad**	슬픈	
4	**tired**	피곤한, 지친	

UNIT 2

1	**late**	늦은, 지각한	
2	**basketball player** (basketball players)	농구 선수	
3	**museum** (museums)	박물관	
4	**dancer** (dancers)	무용수, 댄서	
5	**bus driver** (bus drivers)	버스 운전사	

1	**boat** (boats)	배, 보트	
2	**writer** (writers)	작가	
3	**fruit** (fruits)	과일	
4	**musician** (musicians)	음악가, 뮤지션	
5	**famous**	유명한	
6	**hair**	머리카락, 머리	
7	**cafe** (cafes)	카페	
8	**pumpkin** (pumpkins)	호박	
9	**gift** (gifts)	선물	

| **CHAPTER 5** | 다음 단어의 뜻을 확인하고, 세 번씩 따라 써보세요.

UNIT 1

1	**lamp** (lamps)	램프, 등	
2	**duck** (ducks)	오리	
3	**cousin** (cousins)	사촌	
4	**bed** (beds)	침대	
5	**uncle** (uncles)	삼촌, 고모부, 이모부	

1	**chicken** (chickens)	닭	
2	**socks**	양말	
3	**boots**	부츠	
4	**watermelon** (watermelons)	수박	
5	**ostrich** (ostriches)	타조	
6	**soccer ball** (soccer balls)	축구공	
7	**carrot** (carrots)	당근	
8	**tomato** (tomatoes)	토마토	
9	**picture** (pictures)	사진; 그림	
10	**parents**	부모	

CH 5 | EXERCISE + REVIEW (CH4-5)

1	**grandpa** (grandpas)	할아버지	
2	**candle** (candles)	양초	
3	**lazy**	게으른	

UNIT 1

1	lunch	점심, 점심식사	
2	play (plays)	(게임 등을) 하다, 놀다; 연주하다	
3	do (does)	(어떤 동작을) 하다	
4	taekwondo	태권도	
5	take a walk	산책하다	
6	take (takes)	(버스 등을) 타다	
7	go (goes)	가다	
8	eat (eats)	먹다	
9	pizza	피자	
10	come (comes)	오다	
11	wash (washes)	닦다	
12	hand (hands)	손	
13	make (makes)	만들다	
14	sleep (sleeps)	(잠을) 자다	
15	night	밤	
16	cook (cooks)	요리하다	
17	dinner	저녁, 저녁식사	

18	**work** (works)	일하다
19	**ride** (rides)	타다
20	**study** (studies)	공부하다
21	**read** (reads)	읽다
22	**teach** (teaches)	가르치다
23	**watch** (watches)	보다, 지켜보다
24	**TV** (= television)	텔레비전, TV
25	**chocolate**	초콜릿
26	**nose** (noses)	코
27	**swim** (swims)	수영하다, 헤엄치다
28	**run** (runs)	달리다, 뛰다
29	**pool** (pools)	수영장
30	**buy** (buys)	사다, 구입하다
31	**fly** (flies)	날리다; 날다
32	**kite** (kites)	연
33	**mask** (masks)	가면; 마스크
34	**basketball**	농구
35	**chicken**	닭고기
36	**comic book** (comic books)	만화책
37	**clean** (cleans)	청소하다

38	**draw** (draws)	그리다	
39	**movie** (movies)	영화	
40	**ice cream**	아이스크림	
41	**floor** (floors)	바닥	
42	**pie** (pies)	파이	
43	**lake** (lakes)	호수	
44	**drum** (drums)	북, 드럼	
45	**love** (loves)	사랑하다, 매우 좋아하다	
46	**sing** (sings)	노래하다	
47	**eraser** (erasers)	지우개	
48	**song** (songs)	노래	

UNIT 2

1	**pass** (passes)	패스하다; 건네주다	
2	**fix** (fixes)	고치다	
3	**speak** (speaks)	말하다	
4	**breakfast**	아침식사	
5	**gray hair**	흰머리	
6	**high school**	고등학교	
7	**catch** (catches)	잡다	

8	**shop** (shops)	가게, 상점	
9	**wash the dishes**	설거지하다	
10	**map** (maps)	지도	
11	**want** (wants)	원하다, 바라다	
12	**baby** (babies)	아기	
13	**brush** (brushes)	빗질하다	
14	**robot** (robots)	로봇	
15	**letter** (letters)	편지	

CH 6 | EXERCISE + REVIEW (CH5-6)

1	**push** (pushes)	밀다	
2	**finish** (finishes)	끝내다, 끝나다	
3	**drive** (drives)	운전하다	
4	**help** (helps)	돕다	
5	**go shopping**	쇼핑하러 가다	
6	**Japanese**	일본어	
7	**face** (faces)	얼굴	
8	**go on a picnic**	소풍가다	
9	**store** (stores)	가게, 상점	
10	**sell** (sells)	팔다	

11	go to the movies	영화 보러 가다	
12	o'clock	~시	

CHAPTER 7 | 다음 단어의 뜻을 확인하고, 세 번씩 따라 써보세요.

UNIT 1

1	**hamburger** (hamburgers)	햄버거	
2	**bell** (bells)	방울, 종, 벨	
3	**meat**	고기	
4	**wear** (wears)	쓰고[입고, 신고] 있다	
5	**glasses**	안경	
6	**soup**	수프	
7	**ear** (ears)	귀	
8	**listen** (listens)	듣다	
9	**get up** (gets up)	일어나다	
10	**early**	일찍	
11	**Chinese**	중국어	

UNIT 2

1	**go to bed**	잠자리에 들다	

2	**jump** (jumps)	뛰다, 점프하다	
3	**sunglasses**	선글라스	

CH 7 | EXERCISE + REVIEW (CH6-7)

1	**bee** (bees)	벌	
2	**honey**	꿀	
3	**vegetable** (vegetables)	채소, 야채	
4	**teeth**	이, 치아 《tooth의 복수형》	
5	**brush one's teeth**	이를 닦다	
6	**history**	역사	
7	**bake** (bakes)	(음식을) 굽다	
8	**pet** (pets)	반려동물	

FINAL TEST 1-2회

1	**New York**	뉴욕 《미국의 주, 도시》	
2	**beach** (beaches)	해변, 바닷가	
3	**bank** (banks)	은행	
4	**soda**	탄산음료	
5	**cellphone** (cellphones)	휴대폰	

왓츠Grammar

초등 필수 영문법의 **기초를 탄탄히** 쌓는

· Start 시리즈 ·

초등 교과 과정의
필수 기초 문법

초등 필수 영문법을 **완벽하게 마무리**하는

· Plus 시리즈 ·

초등 교과 과정의
필수 기초 문법 및 심화 문법

· 초등 필수 영문법 완성을 위한 3단계 구성 : 개념 이해 → 문제 풀이 → 문장 쓰기
· 누적·반복 학습이 가능한 나선형 커리큘럼
· 쉽게 세분화된 문법 항목과 세심하게 조정된 난이도
· 유닛별 누적 리뷰 테스트와 파이널 테스트 2회분 수록
· 워크북과 단어 쓰기 연습지로 완벽하게 복습

부가자료 다운로드

www.cedubook.com

쎄듀 초·중등 커리큘럼

	예비초	초1	초2	초3	초4	초5	초6
구문		천일문 365 일력 | 초1~3	교육부 지정 초등 필수 영어 문장	초등코치 천일문 SENTENCE	1001개 통문장 암기로 완성하는 초등 영어의 기초		
문법				초등코치 천일문 GRAMMAR	1001개 예문으로 배우는 초등 영문법		
			왓츠 Grammar			Start (초등 기초 영문법) / Plus (초등 영문법 마무리)	
독해				왓츠 리딩 70 / 80 / 90 / 100 A / B	쉽고 재미있게 완성되는 영어 독해력		
어휘			초등코치 천일문 VOCA&STORY	1001개의 초등 필수 어휘와 짧은 스토리			
		패턴으로 말하는 초등 필수 영단어 1 / 2	문장 패턴으로 완성하는 초등 필수 영단어				
ELT	Oh! My PHONICS 1 / 2 / 3 / 4	유·초등학생을 위한 첫 영어 파닉스					
		Oh! My SPEAKING 1 / 2 / 3 / 4 / 5 / 6	핵심 문장 패턴으로 더욱 쉬운 영어 말하기				
		Oh! My GRAMMAR 1 / 2 / 3	쓰기로 완성하는 첫 초등 영문법				

	예비중	중1	중2	중3
구문		천일문 STARTER 1 / 2		중등 필수 구문 & 문법 총정리
문법		천일문 GRAMMAR LEVEL 1 / 2 / 3		예문 중심 문법 기본서
	GRAMMAR Q Starter 1, 2 / Intermediate 1, 2 / Advanced 1, 2			학기별 문법 기본서
	잘 풀리는 영문법 1 / 2 / 3			문제 중심 문법 적용서
	GRAMMAR PIC 1 / 2 / 3 / 4			이해가 쉬운 도식화된 문법서
			1센치 영문법	1권으로 핵심 문법 정리
문법+어법		첫단추 BASIC 문법·어법편 1 / 2		문법·어법의 기초
문법+쓰기	EGU 영단어&품사 / 문장 형식 / 동사 써먹기 / 문법 써먹기 / 구문 써먹기			서술형 기초 세우기와 문법 다지기
				올씀 1 기본 문장 PATTERN
				내신 서술형 기본 문장 학습
쓰기	거침없이 Writing LEVEL 1 / 2 / 3			중등 교과서 내신 기출 서술형
		중학 영어 쓰작 1 / 2 / 3		중등 교과서 패턴 드릴 서술형
어휘	신간 천일문 VOCA 중등 스타트/필수/마스터			2800개 중등 3개년 필수 어휘
		어휘끝 중학 필수편	중학 필수어휘 1000개 어휘끝 중학 마스터편	고난도 중학어휘 +고등기초 어휘 1000개
독해	신간 ReadingGraphy LEVEL 1 / 2 / 3 / 4			중등 필수 구문까지 잡는 흥미로운 소재 독해
	Reading Relay Starter 1, 2 / Challenger 1, 2 / Master 1, 2			타교과 연계 배경 지식 독해
	READING Q Starter 1, 2 / Intermediate 1, 2 / Advanced 1, 2			예측/추론/요약 사고력 독해
독해전략			리딩 플랫폼 1 / 2 / 3	논픽션 지문 독해
독해유형			Reading 16 LEVEL 1 / 2 / 3	수능 유형 맛보기 + 내신 대비
			첫단추 BASIC 독해편 1 / 2	수능 유형 독해 입문
듣기	Listening Q 유형편 / 1 / 2 / 3			유형별 듣기 전략 및 실전 대비
		쎄듀 빠르게 중학영어듣기 모의고사 1 / 2 / 3		교육청 듣기평가 대비